Ⓢ新潮新書

木谷文弘
KITANI Fumihiro

由布院の小さな奇跡

JN275521

094

新潮社

本文中写真　溝口薫平
図版製作　(株)ゾーン

プロローグ　憧れの温泉地

「由布院と湯布院、どちらの文字が正しいのですか？」

由布院を訪れた人に尋ねられることがある。どちらとも正しいといってもいい。昭和三十年に、由布院町と湯平《ゆのひら》村というふたつの町村が合併した。湯平の「湯」と由布院の「布院」を合わせて、「湯布院町」となった。由布院は、豊後風土記《ぶんごふどき》では「柚富郷《ゆふのさと》」、万葉集では「木綿《ゆふ》」、和名抄《わみょうしょう》では「由布」と呼ばれていた。由布院の人たちは、「ゆふ」という響きを大切にしたかったのかもしれない。由布院と湯平ともに地域性豊かな田舎の温泉地だ。本書では、由布院を中心にして、まちづくりなどについて考えてみたい。

町名が湯布院《ゆふいん》町、JRの駅名が由布院駅だ。

合併当時の由布院、二十数軒の旅館すべての経営状況は良くなかった。平日の宿泊客はほとんどなかった。休日前でも、宿泊客がひとりもいないということもあった。

「旅館業をやめたい」

泣きごとをいう経営者もいた。隣の旅館が知らないうちに売られていたということも実際にあったらしい。

由布院温泉の総湧出量は、別府に続いて全国第二位だ。温泉の源泉総数でも、同じく別府に続いて第二位だ。由布院は盆地だ。山に囲まれている。土地は狭い。それらのことを考えると由布院がいかに豊富な温泉に恵まれているかがわかる。

温泉に恵まれているのに、由布院に観光客は来なかった。旅館のすべてが小さかったからだ。当時の観光のスタイル「団体旅行」に対応できていなかった。

それに、由布院には歓楽街もなかった。名所旧跡もなかった。旅館の周辺には田圃《たんぼ》や畑が広がっていた。温泉情緒などもなかった。鄙《ひな》びた田舎のただの温泉地といってもよかった。

閑散とした由布院に比べると、隣の別府には次から次へと団体客が押し寄せていた。

「別府のようになりたい」

誰もが思ってもいいはずだ。

でも、由布院の人たちは思わなかった。

小さな別府になると、別府に取り込まれるだけだ。由布院の人たちは逆の発想をした。

「別府のようになるまい。小さな別府になるな！」

四十余年前、そう叫んで、由布院の人たちはまちづくりをはじめた。

当時、まちづくりという言葉さえなかった。

由布院の人たちにも、まちづくりという意識はなかったはずだ。

由布院の人たちは、由布院を有名な観光地にしようとは考えていなかった。

生計を立てることができるぐらいの観光客には来てもらいたい。

由布院の人たちは、ささやかな願いを抱きながら、まちづくりにがんばってきたといってもいい。

現在、由布院は多くの観光客の訪れる観光地となった。

観光客の憧れる温泉地として、由布院は名前がよくあげられるようになった。

雑誌や新聞の「行ってみたい観光地ランキング」で、由布院が常に上位にランキングされていることからも窺い知ることができる。

日本経済新聞社が催した「温泉大賞」というランキングの「行ってみたい温泉地」部門で、由布院はトップになっている。「行ってよかった温泉地」部門でも、草津温泉に続いて第二位になっている。

旅行業者が選んだ「人気温泉旅館ホテル二百五十選」では、由布院から五軒もの旅館が選ばれている。ある雑誌の「好感度ベストテン」の旅館部門では、十軒の中に由布院の二軒の旅館が選ばれている。

由布院の良さについて書かれたことを、あれもこれもと、あげていくときりがない。由布院は我が国を代表する観光地のひとつになったといってもいいだろう。わずか四十余年の間に、由布院は大きな変貌をとげたのだ。

由布院における実際の観光客の推移はどうなっているのか。左のグラフを参照して欲しい。湯布院町役場が調査している湯布院町の日帰り客と宿泊客の推移だ（由布院温泉と湯平温泉の合計）。

湯布院町観光動向（調査：湯布院町役場）

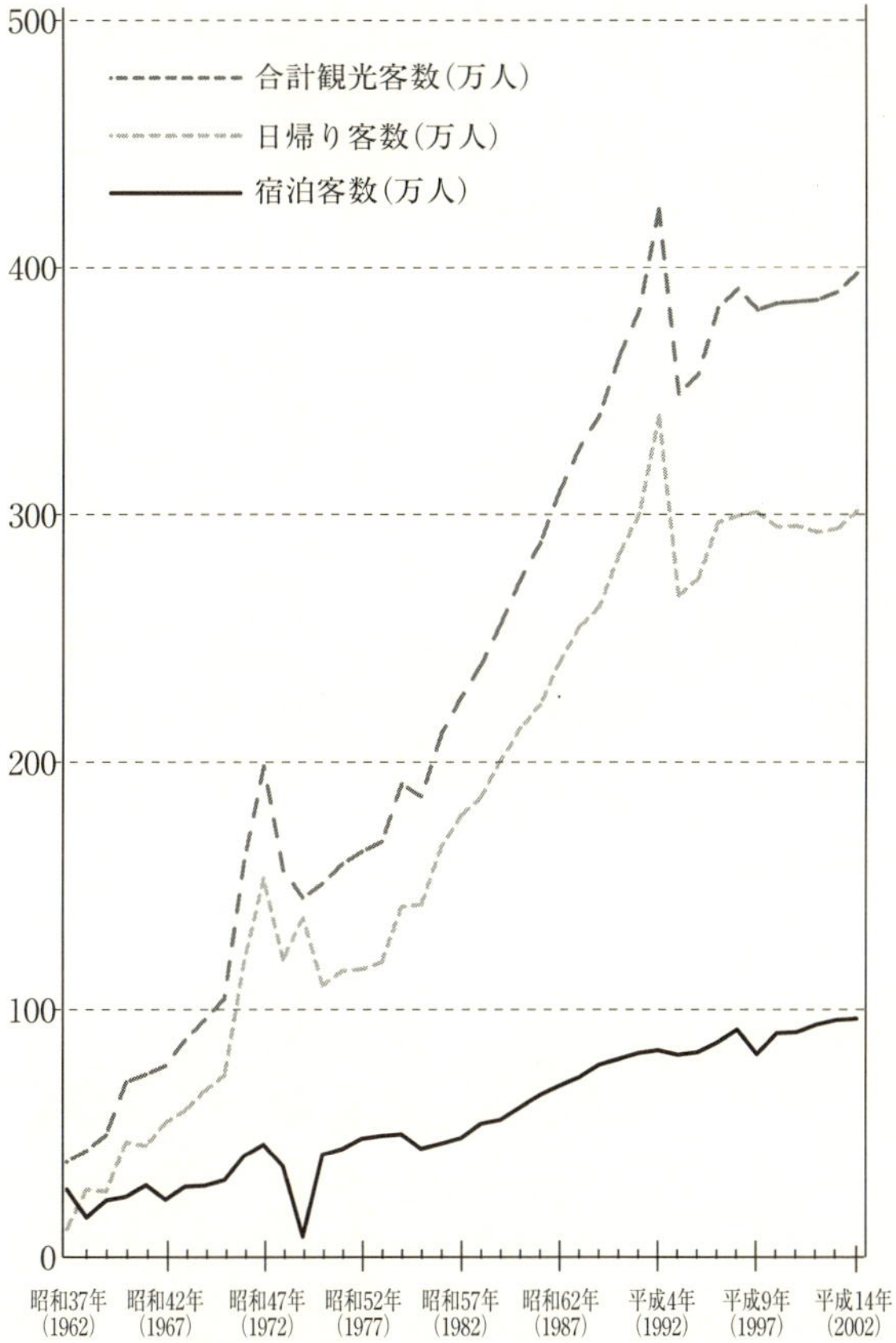

湯布院町役場が観光動向調査をし始めたのが昭和三十七年だ。当時、湯布院町には三十八万人の観光客しか来ていなかった。

昭和四十五年には、百万人を超えるようになった。しかし、宿泊客が三十万人を超えた程度というのは、由布院がまだまだ日帰りの観光地だったことがわかる。

昭和五十六年には二百万人を超える。宿泊客も四十五万人と伸びている。二百万人を超えると、わずか六年後の昭和六十二年には三百万人を超えている。宿泊客も六十八万人と驚異的に伸びている。平成三年に三百八十万人を超えた。以来、バブルがはじけて不景気が続く中で、三百五十万から四百万人近くを維持し続けている。そして、宿泊施設が増えたためか、宿泊客は着実に伸びて、平成十四年には九十五万人を超えている。四十年の間に十倍も観光客が増えたということになる。


視察や研修などで由布院を訪れた人が必ず質問することがある。

「このような人気のある観光地にどうしてなったのか？」

すると、由布院の人たちは、「由布院のまちづくり」について惜しげもなくいろいろな話をしてくれる。

・大正時代にひとりの林学博士が由布院に来て講演をした。その「由布院温泉発展策」という提言はどのような内容なのか。

・「ゆふいん音楽祭」「湯布院映画祭」などのイベントはほとんどが手づくりだ。イベントの苦労話や、手づくりならではの愉しさとはどのようなものか。

・由布院では、農家の人たちと料理人たちがどのようなネットワークをつくっているのか。そのネットワークはどのようにして構築されたのか。

由布院の人たちはいろいろな話を語ってくれる。

しかし、一番知りたい肝心のこと「一年間に三百八十万人の観光客がどうして由布院へ来るようになったか」については、由布院の人たちにもその理由がわからないようなのだ。

大型のテーマパークが、由布院にできたわけでもない。

行政や大企業による大きなイベントが、由布院で開催されるわけでもない。

由布院の人たちも、由布院には何もないことを知っているようだ。

「他の観光地に比べると、由布院には有名な名所旧跡などはありません」

名所旧跡を尋ねられると、そのような答えが返ってくるだけだ。

観光のスタイルが変わった。団体旅行から個人旅行に変わった。女性の観光客が増えてきた。由布院の旅館やホテルそしてイベントが、由布院らしい新しい観光スタイルをつくり、それら観光客のニーズに応えていったという人もいる。

「由布院らしいスタイル」だけで、由布院へ多くの観光客が訪れてくれるようになったのであろうか。

それならば、由布院らしいスタイルをひとつの「奇跡」といわざるをえない。由布院の宿泊施設やイベントの規模は小さい。由布院の「小さな奇跡」の積み上げが「大きな奇跡」を生んだといってもいいのかもしれない。

私は由布院の人にある質問をしたことがある。

「由布院の人たちは、由布院らしい旅館やホテル、由布院らしいイベントなどとよくいいますが、〝由布院らしさ〟をどのように守り育んでこられたのですか？」

「由布院の小さな奇跡」はどのようにして生まれたかを、私は知りたかったのだ。由布院をどのような人たちが支えてきたのか、由布院らしいまちづくりはどのように行われてきたのか、由布院らしさを代表する音楽祭や映画祭などのイベントがどのように催されているのかを。

それらのひとつひとつの「小さな出来事」「小さな出会い」を知ることが、小さな町である由布院の「小さな奇跡」の秘密を探っていくことになるのかもしれない。

目次

湯布院町とその周辺地域

第一章

ふたりの「まちづくり達人」

1．中谷《なかや》健太郎という人

企画の人「ホラ健」

由布院のまちづくりというと、由布院を代表すると言ってもよいふたつの旅館「亀の井別荘」の中谷健太郎と、「由布院　玉の湯」の溝口薫平《くんぺい》の名前がよくあげられる。

ここでは、「由布院のまちづくり」をあざやかに展開し、幾多の「小さな奇跡」を起こしてきた中谷と溝口というふたりの「まちづくりの達人」について語ることにする。

昭和三十二年、明治大学を卒業すると、中谷は東宝撮影所に入り映画監督を目指していた。その時の名残なのか、中谷の言動はいつもドラマチックであり、中谷がつくってきた「亀の井別荘」の佇まいには、どこか物語性が感じられると言う人も少なくない。

昭和三十七年、映画監督になる日を目前にしていた中谷に大きな転機が訪れた。父親が亡くなったあと、ひとりで家業を支えていた母親が東京へやって来た。

「由布院へ戻って宿屋をやっておくれ」

母親から口説かれた。中谷は悩んだ。伯父である中谷宇吉郎《うきちろう》に相談をした。

中谷宇吉郎は雪博士として知られている物理学者である。

「雪は天から送られた手紙である……」

空から舞い落ちてくる雪を、そう表現した中谷宇吉郎は、「雪の結晶」を世界ではじめてつくった人である。また、「冬の華」などの著作もある随筆家であり、「霜の花」などの科学映画を制作した人でもある。

「母親から説得されたこともあるが、伯父から言われた言葉もひとつの理由なんだ」

中谷が話してくれたことがあった。

「『考え悩むことはない。由布院へすぐ帰れ』と、伯父に言われたんだ。『映画を撮ることはいつでもできる。しかし、長い人生、人と人が出会う機会はそうあるものではない。由布院では、亀の井別荘では、偉いとかなんとかは関係なく、あけっぴろげの人間としてみんなが出会うことができる。人と人をつなげることを一生の仕事にできる。それほど素晴らしいことはない。由布院へすぐに戻って、おまえの人生をゆたかにせよ』。伯父の言葉もあって、私は由布院へ戻ろうと決心したんだ」

田舎に住むのだ。由布院で生きていくのだ。そう決心した時、由布院をより良い町にしようと、中谷はいろいろなことを考えた。ただ、中谷の発想は、当時、田舎である由布院でのんびりと過ごしていた人たちにとっては、大胆かつ先鋭的なものが多かった。後を追う由布院の人たちに、困惑や戸惑いがあったことは確かだろう。

中谷は構いはしなかった。とにかくやることだ。観光客に、由布院に来てもらうためには、由布院という名前を知ってもらう必要がある。何かをはじめなければならなかった。まずは、由布院らしい郷土料理で、観光客に由布院を知ってもらおう。

それには、ネーミングが大切だ。由布院は田舎だ。猪がいる。鹿がいる。地鶏がいる。三つの肉を合わせて、「猪鹿鳥《いのしかちょう》料理」と命名した料理を提供する「湯《ゆ》の岳郷《たけごう》ガーデングリル」という店を、中谷は仲間たちと造った。花札の「猪鹿蝶」にひっかけたのだ。

どういう料理だったのだろう。ただのシンプルな田舎料理だったらしい。団体旅行によく見られる海の幸あり山の幸あり何でもありの豪華な料理ではない。猪は醤油味のスープ煮、鹿は刺身、鳥は焼き鳥だ。味は田舎で普段に食べている当たり前のものだ。現在、由布院で合い言葉になっている「地産地消」（地元の生産物を地元で消費する）そのものの料理だった。

中谷たちの郷土料理作戦はとにもかくにもはじまった。

「田舎の料理はおいしいのだ。しかし、まずは食べてもらわなくてはならない。そのためには人の好奇心をくすぐるネーミングが大切なのだ」

ユニークなネーミングのためか、中谷たちの情報発信が巧みだったのか、マスコミからの取材が多くあり、かなりの反響があった。ただ、東京の出版社が取材のため、町の役場へ電話をした。電話に出た役場の職員が答えたらしい。

「由布院にイノシカチョウ料理があるかって？　そのような料理は聞いたことがないです」

中谷たちが突っ走っている状況がわかるエピソードだ。

由布院を知ってもらうために、中谷は次から次へと奇抜なことを考えて実行した。奇抜なことと言えば、由布院らしいイベントを中谷はいくつも考えた。

「由布院は温泉地であるということを知ってもらうために、『温泉樽《たる》御輿《みこし》』をやろうぜ」

中谷は仲間へ提案をした。

各地区から温泉の入った樽御輿が小学校の校庭へ集結する。校庭の中央に泥土で固い山をつくる。山頂には、景品目録が御幣とともに高く掲げられている。かけ声とともに樽御輿の温泉の湯が、山へ向けてかけられる。山はどろどろになる。山へ褌《ふんどし》一丁の男衆が競って登る。蹴落とす。曳き下ろす。湯がどんどんかけられる。しぶきが舞う。男衆の肌に湯気が舞う。ひとりの男が頂上へたどり着き、御幣をつかんだところで、祭りは最高潮に達する。見ている群衆の気持ちも高まるというものだ。

少し乱暴過ぎると却下されると、中谷はまた新しいイベントを考えた。

消防車のホースで水を放出してシャワーの雨を降らせる。どんどん降らせる。その下で、老若男女が、それぞれに凝った水着を着て踊り狂い、とにかく騒ぐのだ。容赦なく降るどしゃぶりの雨が、由布院の人たちの気持ちを高揚させ熱く燃えさせるではないか。湧水のゆたかな由布院らしい夏の祭りではないか。中谷は本気で提案したらしい。

仲間たちと再現し、今も続いている「蝗攘祭《こうじょうさい》」をはじめ、中谷は田舎らしいハレの場というか「田舎の文化」を創りたかったのだ。中谷の考えたいろいろな祭りのアイディアについて尋ねると、中谷が答えてくれた。

「そうだよな。私の考える祭りは、当時はやっていたボウリングやゴルフなどとはどこか相容れない匂いを持っていたことは確かだよね」

中谷は、みんなから「ホラ健」と呼ばれていたらしい。あだ名にふさわしいように、提案を却下されても、「ホラ」のようなアイディアを、中谷は次から次へと提案した。でも、それらのイベントは、映画監督を目指していた中谷らしいと思えば納得できるアイディアだった。

中谷のアイディアの根底には、「地域の住民がまずは愉しもうぜ」という想いが常にあった。だから、映画を見たいから「湯布院映画祭」、音楽を聴きたいから「ゆふいん音楽祭」、草原を守りたいから「牛喰い絶叫大会」など、由布院らしいイベントが次から次へと生まれてきたのだ。

中谷は言っている。

「観光というものは特別に観光のものとしてつくられるべきではないのです。その土地の暮らしそのものが、観光というものなのです。村の生活がゆたかで魅力あるものでなくて、その土地になんの魅力がありましょうか！」

中谷が由布院をより良い町にしたいと考えた時、由布院らしいスタイルとはそのような「生活観光地」だったのかもしれない。そのためには、まず由布院の人たちが生活を愉しみながら生きていけるにはどうすべきか。それを、中谷はいつも考えていたのだ。

中谷の考えを強く支持したのが「玉の湯」の溝口である。溝口が言っている。

「由布院がどうあるべきか、どうあって欲しいかを、中谷さんはいつも考えてくれます。よくぞ思いつくというか、いろいろなことを語ってくれます。それを、由布院では、中谷さんがあんなに言うのだから、みんなでなんとかやろうよということで、みんながやっていくのです」

中谷の考えること、語ることを、由布院の人たちはみんなで実行する。みんなでがんばる。中谷は次から次へと仕掛けていく。みんなは中谷についていく。

由布院の人たちはどうして中谷についていくのだろう。中谷の「由布院をより良くしたい」という気持ちを、みんなが感じているからなのだろう。

中谷の考えに反対する人はいなかったのだろうか。中谷は溝口と「山のホテル夢想園」の志手《しで》康二をはじめ仲間たちとがんばってきた。

由布院は田舎だ。地域のいろいろな慣習がある。血縁による関係がある。利益不利益のからみがある。がんばっているものを引きずり落とすこともままある。

それに、行政と民間のもつれ、民間同士のもつれ、観光と農業のもつれなど、いろいろなもつれがあったことは確かだ。混乱、紛糾、投げ出す、立ち直る、騒動、混迷、沈静化……いろいろなことを繰り返しながら、由布院のまちづくりは進められてきたらしい。

中谷は言っている。

「仲間のもつれはあった。もつれた時には、もつれのままであった」

中谷たちに、もつれに構っている暇はなかったのだろう。また、もつれがあるからこそがんばることができたのかもしれない。

「私たちはとにかくがんばるしかなかった。後ろから批判されながら斬られながら、そのままの形で前に走った。私たちに、後ろの批判派を構っている時間はなかったのだ」

中谷と仲間たちが周囲の批判をも構わずに突っ走っていたのは確かなようだ。

しかし、「自然保護よりも開発だ」「ゴルフ場を造れば観光客が来る」と叫んでいた人たちもいたはずだ。町の発展を願いながら、当時としては当たり前のことを言って、背後から中谷たちを批判していた人たちはどう思っていたのだろう。

「斬っても斬っても、金太郎飴のように、中谷さん、溝口さん、志手さんの顔が現れた。トップを走っている連中にはものごとが見えていたかもしれんが、ワシらその他大勢の口にはわからんままじゃった。みんなそのまま引き回されちいう感じじゃった」

中谷はふと立ち止まることがあったと言う。中谷は考えた。

「どこを切っても同じ顔が出るのは金太郎飴を通り越して『権力おばけ』だ」

そう言って、中谷はすべての役職を降りたこともあったらしい。

そして、年月が過ぎて、中谷は書いている。

「そしてこの頃ときどきこう考えるのだ。『もっとゆっくり走ってくれ』と言った友だちに歩調を合わせて走っていたらどうだったろうと。その方が正しかったかもしれない。あの頃、あちこちの先進観光地を挑戦的ににらんでいた目線が、この頃はムラウチに滲みてゆく。するとそこにゆっくりと走っているムラビトの姿がみえてきて愕然とするのだ。ムラビトたちは『ムラの仲間と同じ速さ』で走っている。当然速くは走れない。私たちはそれらを抜いて全力疾走してきたけれど、『それがなんだ？』と言われればそれまでのような気もする。この頃ムラウチに私たちの同業者が増えた。そうなると『同業の仲間と同じ速さ』で走ることの意味が重く鮮明にみえてくる。いたずらに競争などしないで、各々が各々の顔付きのままに、ゆっくりと走っている、そんな仲間も、ムラウチに欲しくなってきている。『走れよ、みんなの速さで』か」

由布院のイメージをつくった旅館

中谷が主《あるじ》である「亀の井別荘」とはどのような旅館なのだろうか。

昔、由布院へ視察する団体が来た場合に、溝口は躊躇することなく中谷の経営する「亀の井別荘」へ案内した。テレビや雑誌などの取材の場合でも同じだった。

「亀の井別荘ばかりを宣伝する。由布院の他の旅館やホテルなども紹介すべきだ」

同じ旅館業者から苦情の出ることが少なくなかった。溝口は取り合わなかった。それどころか、溝口は平然と言い放った。

「『亀の井別荘』は、由布院を代表する旅館です。自然との調和を考えた『亀の井別荘』は、由布院をイメージさせるには最高の旅館なのです。映画監督を目指していただけあって、健太郎さんの造った広葉樹の林や茅葺《かやぶ》き屋根の建物は絵になるのです。カメラをちょっと構えただけで、由布院らしい素敵な写真が撮れるのです。それが、雑誌やテレビで、全国に紹介されます。すると、由布院はいいところのようだ。ちょっと出かけてみようかということになるのです。それでいいのです」

写真には素人の私でも、「亀の井別荘」の木々や建物を入れて写真を撮るとなかなかのものになる。「亀の井別荘」の木々や建物を背後にすると、それほど大きくはない金鱗湖《きんりんこ》がなにか特別な湖のように感じられるから不思議だ。

中谷が由布院へ戻った時の、由布院のカタチは定まっていなかった。農村があって、温泉が湧いているというだけの状態だった。中谷は言っている。

「だから、何でもできた」

しかし、観光業というか旅館業は、若者にとって魅力ある仕事ではなかった。中谷のいた映画界の方がまだ夢があった時代だ。中谷の心の内は複雑だったに違いない。

道楽ものの祖父中谷巳次郎《みじろう》の生き方、経営感覚がなかった父中谷宇兵衛の生き方を振り返り、それらによく助けられたと、中谷は最近の講演会では言うことが多い。

祖父の巳次郎は金沢近郊の庄屋の子であり、美術、建築、造園、お茶、生け花に遊んだ通人というか「茶人」であった。しかし、それがために、いろいろなことに手を出し、全財産を失って、夜逃げ同然に別府へ流れ着いた。そして、巳次郎は、別府の「亀の井ホテル」の主である油屋熊八という人に出会った。

油屋は、遊覧バスやバスガイドなどを発案し「別府観光の祖」と呼ばれるアイディアマンだった。昭和のはじめに、別府、由布院、阿蘇、天草、長崎を結ぶ九州横断観光ルートを考えていた。その構想を考える中で、油屋は由布院を訪れてその美しさに感銘を受け別荘を建てた。それが後の「亀の井別荘」となった。

別府へ来た一流の客を招待するための別荘であるから、すべてに通じている人に任せねばならない。そこで、油屋は、茶人であった巳次郎に別荘の管理を依頼したのだ。

そのような経緯で由布院へ来ることになった巳次郎は、中谷によると、由布院の村人たちからは先生と呼ばれていたらしい。

「祖父は田舎だった由布院へ『文化』を持ち込んだ。ただ働くだけの田舎へ、散歩をする、器にこだわる、食にこだわる、庭をつくる、あられを一年中食べる、などの慣習を持ち込んだ。田舎に文化を残した。だから、先生と呼ばれたんだ」

中谷宇吉郎の著した「由布院行」というエッセイに、巳次郎が由布院につくった温泉について書いてある。

巳次郎は、金鱗湖のほとりに小さな風呂をつくった。茅葺きの粗末なものだった。浴槽にしても木張りだけの簡素なものだ。底には細かい砂利を敷いていた。ただ、風呂の中から山が見えるように配慮をして、温泉はいつもかけ流し、湯はいつもきれいで底の細かい砂利がゆらいで見えていた。それはそれは、由布院らしい風呂だったようだ。

「大変簡素でいい」

亀の井別荘を訪れた作家の菊池寛がそう褒めたらしい。菊池寛が有名な小説家であることを宇吉郎から教わった巳次郎が言ったそうだ。

「有名な小説家なのか。道理でもののわかった人だと思ったよ」

由布院で俗世間離れの生活をしていた巳次郎らしいエピソードだ。

中谷の父の宇兵衛は謡曲と、俳句と、茶を呑むほかは何ひとつしない人だったと、中谷は書いている。

宇兵衛は、竹を好んだらしい。竹縁というものが昔はあったものだ。夕暮れになると、宇兵衛は竹縁に座布団を敷いてあぐらをかいて、盆に置いた茶を呑みながら「亀の井別荘」の庭をよく眺めていたらしい。眺めた庭にはモミジが植えられ、なかなか風情があったらしい。そのようなことがあったのか、中谷に尋ねたことがある。

「それがね、その部屋が客室だったんだ。旅館の主が旅館のことは何もしないで、客室の竹縁から庭をゆっくりと見ていたんだ。客が来たと母から言われて、父は盆を持って慌てて退散したものだよ」

現在、その庭のモミジが大きくなって、庭を狭くしている。

「モミジを少し間引いて広くしてゆっくりできる場にしようという話があるんだ。でもね、いろいろな想い出がある古い木を伐ることは寂しいもんですよね」

中谷が言っていた。

「この庭の風景は何十年という年月が培ったものですよね。この庭をじっと見ていると、祖父や父と想い出話ができるんだ」

中谷がそう言っているような気がした。巳次郎が宇兵衛がこよなく愛した庭、というよりもふたりの生き方を、中谷は大切にしたいというか憧れているのかもしれない。


それでは、現在の「亀の井別荘」が、中谷の理想とする旅館の姿なのだろうか。私はよく思うことがある。

建物は確かに田舎の雰囲気を醸し出している。それらには、北陸地方などの壊された農家で使われていた古い木材が使用されている。由布院らしいと言ったら由布院らしい。でも、由布院本来の建築様式ではない。昔の由布院の農家は貧しかった。だから柱などは細く狭い部屋が多かったはずだ。

中谷に尋ねたことがある。

「中谷さんの理想の旅館は造れましたか？」

中谷が顔を崩した。

「う〜ん、むずかしいよね。建築屋さんはより良いものを造りたがる。『いい材料が入りましたからどうこうしました』と言ってくる。こちらの意に反したことが多い。いやこうこうなんだ。そのようなやりとりをしながら、手直しをしたり、造り替えたりして、発注主の意図するものができるものだ」

中谷の頭の中では、「亀の井別荘」は常に建築中でいろいろな構想が浮かんでいるということだ。建物はいつも建築の最中が面白いのかもしれない。

「亀の井別荘」は、本館の二階に洋室が六、すべてが離れとなっている和室が十五の計二十一部屋だ。この国を代表する旅館としては、やけに部屋数が少ない。主の目が届き、十分なるおもてなしをするには、その程度の規模が限度と決めているかのようだ。

スイス在住の日本人女性を、「亀の井別荘」へ案内したことがある。

駐車場に車を止めて、茅葺きの小さな山門を潜る。砂利道を踏みしめながら歩いていくと、家屋よりも高い何本かの大スギが目に入ってくる。驚きながらよく見ると、モミジやイチョウなどの広葉樹もさりげなく配置されている。

「由布院らしいわね。静けさが漂っていて、日本の懐かしい旅館という感じがするわね」

大スギや広葉樹を見ながら、彼女はため息を吐いて言った。

休息をするために談話室へ案内してもらった。土間を通って、飛び石を渡って、木々の間を抜けていく。土間の隅々に「象らしき置物」が置かれている。中谷の遊び心を感じさせる空間だ。

やがて、煉瓦造りのシンプルな建物が見えてくる。「亀の井別荘」の和様式の建物群の中では、異国を感じさせる建物だ。玄関の横壁の上部は大きなガラス窓となっている。

そのガラス窓をよく見ると、青空を背景とした由布岳が映っている。そのことを計算して、ガラス窓を造ったのであろうか。中谷に尋ねても微笑むだけだろう。普通の人がやると野暮ったくなることでも、中谷の手にかかると粋になる。

談話室に入る。壁に本棚が設けられている。外では由布岳を映していた広いガラス窓が本棚の上にある。そのガラス窓、室内からは青空に鮮やかに映える広葉樹の緑が見える。部屋には窓が少ない。暖炉の火が木の香りをかすかに感じさせる。ほのぼのとした空間の中にも、清々しい雰囲気が漂っている。

「亀の井別荘」らしいと言ったら、そのような気がしてくる。中谷が醸し出す異次元の世界と言ったら、そのような気もしてくる。

「由布院らしくないわね。スイスの山荘のオーナーの隠れ部屋という感じだわね」

スイスを思い出したのか、彼女が懐かし気につぶやいた。最も由布院らしい旅館に、由布院らしくない雰囲気が漂っている。不思議な空間だ。

最近の由布院は、大勢の観光客でいつも混雑している。

大型観光バスが着く。都会からのツアー客が次から次へと降りてくる。金鱗湖を見る。周辺の土産店を覗きながら散策をする。でも、次の観光地へ行くのだろうか、彼らは、二時間足らずで、由布院を足早に去っていく。

「由布院では静かに過ごすことができると思っていた。けれど、人は多いし、狭い道に車が入ってきて、なにか慌ただしくて、ゆっくり散策もできなかった」

そのような苦情をもらす観光客もかなりいる。

私は提案をしたい。二時間程度の滞在で、由布院を知ったと思って欲しくない。由布院には、是非とも泊まって欲しい。黄昏時の金鱗湖を訪れて欲しい。団体客が去った後の、由布院の静寂を十分に味わうことができるはずだ。

黄昏、夕陽が沈む頃になると、由布院盆地は茜色に染まっていく。「亀の井別荘」の中を流れる川の水面が、日射しを受けてきらめき揺れる。夕闇が漂いはじめると、「亀の井別荘」の周辺に、灯明のように灯りが点けられる。茅葺き屋根という自然の素材で造られた「亀の井別荘」の建物群や、広葉樹の木々が、控えめに浮かび上がってくる。

由布院が田舎であるということを感じさせてくれる懐かしい光景だ。

2・溝口薫平という人

気配りの人「つぼみの薫平」

もうひとりの「まちづくりの達人」である溝口薫平は、由布院へ来る前、大分県日田《ひた》市に住み日田市立博物館に勤めていた。当時、溝口は、仕事の合間あいまに、久住山《くじゅうさん》や由布岳などの山々へよく登っていた。だから、山仲間のいた由布院へもよく来ていた。

昭和四十一年、溝口は博物館を辞めて「玉の湯」の経営に参加した。赤いベレー帽を被って由布院盆地を散策する溝口の姿は、新しい由布院らしいスタイルのひとつだったのかもしれない。

あだ名をつけるのが由布院の人たちは得意だ。溝口はすぐに「つぼみの薫平」と名付けられた。物静かな溝口にはふさわしいあだ名だった。

「私は個性がない普通の人間だから、つぼみのように静かにしていましたからね」

溝口が言った。溝口が個性のない普通の人だとは、いやいやとんでもない。

溝口は大分県美術協会の写真部会の会員だ。パンフレットを造るといえば、由布院らしい写真を何気なくそっと差し出してきたと、中谷は書いている。

小鹿田《おんたや》焼きの器は素朴で由布院らしさを感じさせる。由布院の旅館で使わせてもらおう。由布院の人たちで日田市郊外の小鹿田の里へ行こうとした時のことだ。

「私もご一緒させて下さい」

由布院の新参ものであった溝口は体を竦《すく》めて車の隅に乗った。小鹿田へ着くといなや、小鹿田の職人たちと溝口には深いつながりがあることを、由布院の人たちは思い知らされた。そして、バーナード・リーチ、浜田庄司などを小鹿田へ案内したのが溝口だとも知らされた。溝口という人間は凄いぜ。由布院の人たちはただ呆れるだけだったらしい。


溝口は実に丁寧に低く頭を下げ敬語を使って話をする。年上年下など関係ない。こちらが恐縮するほどだ。そして、いろいろな気配りをしてくれる。

中谷が溝口について語ったことがある。

「溝口薫平さんは私よりも好き嫌いが少ない人なので、どんな人でも丁寧におつきあいをしています。今でも、お得意様が、個展をなさるとか、結婚なさるとか、ご病気だとかいうとすっとんでいきます。そういったことを三十年、四十年続けてきています。ある意味では親戚、親類関係をお客様と結んでいくような努力を続けてきています。おそらく千人を超える人と、親戚づきあいをしているんだと思います。私同様にやせているけれど太る暇がないのです。そうやって人脈を得てきたのです」

中谷もほっそりとしているのだが、溝口の人柄がよく語られている中谷の話だ。そのことを溝口に話すと、溝口は照れくさそうな顔を見せる。

「なにしろ、私どもは、お客様相手の商売をしているからね」

溝口は微笑むだけだ。なかなかできないことだ。


ある日、中国から来た女性を、私は由布院に案内した。彼女は中国の観光関係の職場に勤務していた。現在は、我が国に住み、東京の大学で観光についての講義をしていた。彼女を溝口に紹介した。彼女がはじめて由布院を訪れたことを知った溝口は、それならばと、まず「夢想園」に案内してくれた。まるで自分の家であるかのように「夢想園」の中に入っていき、溝口は主の志手淑子《よしこ》に彼女を紹介してくれた。「夢想園」は由布院が一望できる小高い丘の上にあるホテルだ。

「由布院には、点滅するネオンサインがないのです。どうです。静かな風景でしょう」

ホテルのテラスから、溝口が丁寧に説明してくれた。彼女がゆっくりと頷く。清涼とした空気の漂う落ち着いた夕暮れの由布院の風景が広がっていた。

由布院のいろいろな旅館やホテルをまるで自分の家のように、溝口は案内する。由布院の素晴らしさを紹介している。そのような溝口の気配りの話はよく聞いていた。溝口の行動を実際に目の前に見て、「由布院という町をみなさんによく知って欲しい」という溝口の気持ちが十分に理解できた。

次に、丸太を温泉につけて磨いている木工所に案内してくれた。陽はすっかり落ちていた。街灯の電球がぽつんと点いていた。誰もいない。溝口はどんどん中へ入っていく。小さなプールのようなものがあった。

「この水槽が、丸太をつけて洗うところです。由布院では、丸太までも温泉に入っているのですよ」

なるほど由布院らしい温泉の説明だ。このようなところでも、溝口は由布院の温泉をアピールしている。彼女は嬉しそうに何度も頷いていた。

そして、溝口は「玉の湯」「亀の井別荘」にも案内をしてくれた。

「由布院は個性のある旅館が多いから、いろいろな旅館を知って欲しくて案内するのです」

案内を終えた溝口が微笑んだ。

そのような気配り上手な溝口に、私は尋ねた。

「中谷さんたちとまちづくりをやってきましたよね。いろいろなことをやる場合に、利害関係の違い、価値観の違いとか、ひとそれぞれに考えの違いがあって、もつれなどなかったのですか？」

中谷とともに、溝口も突っ走ってきたはずだ。

「確かにもつれはありましたよ。中谷さんの考えは当時としては先鋭的でしたからね。それに、環境よりも開発をと言われた時代に、自然を守れと叫んできたのですからね」

それでは、溝口たちはどのような対応をしたのだろう。

「これは酒を呑むことでしたね。酒の瓶をもっていって互いに呑みあうのです。酔ったところで、どうだろう、由布院のためにこれこれはどうしてもやらなくては駄目なんだと説得する。そして、了解を得る。それが田舎のいいところなんですよ。結局は、由布院を良くしたいという想いは誰でも同じですからね。それにね、説得する時は、あの人にはこの人、あの人には誰それ、人によって相性がありますからね。仕事は人がしてくれます。何よりも大切なのは人なのですよ。由布院は『人脈観光地』なのですよ」

「人脈観光地」とは、人が培ってきた観光地ということだろうか。中谷、溝口たちのまちづくりの姿が見えてくる。

「中谷さん、溝口さん、おふたりで、よくぞここまで、まちづくりをあざやかにやってこられましたよね」

中谷や溝口へ語りかける人が多い。すると、中谷と溝口は顔を曇らせながら言う。

「違う。由布院のみんなでやってきた。それを、町内外の多くの人たちが応援してくれた」

多種多様なもつれがありながらも、仲間たちでやってきたことは確かなのだ。そして、仲間たちには、それぞれの役割があった。それを、人脈と言うのだろう。

例えば、中谷、溝口とまちづくりに一緒にがんばってきた志手のことを、溝口はこう話している。

「志手康二さんはとても人柄のいい人で、由布院の若い人たちにとっては兄貴分でした。遊びの名人でした。遊び心がある人だったといってもいいでしょう。田舎では、やはり遊んでくれる兄貴分が必要なのです。その志手さんが五十二歳で亡くなりました。若い人たちは号泣してね、今でも志手さんの命日には、みんなで集まります。そうやって志手さんの想いをつないでいってくれているのです。そのように、由布院という町にはいろいろな人がいます。だから、今までやってこられたのです」

小林秀雄が愛した旅館

溝口は、「亀の井別荘」が由布院の代表であるかのように、由布院を訪れる人をまず「亀の井別荘」に案内した。そして、由布院のイメージを造ってきた。

だからといって、溝口の経営している「玉の湯」を、「亀の井別荘」と同様なスタイルの建物にしようとはしなかった。

「亀の井別荘」の傍には金鱗湖があった。中谷は金鱗湖をまず考えた。そして、現在の我が国を代表する旅館といってもいい「亀の井別荘」がある。

由布院の旅館やホテルは由布院らしさを漂わせながらもそれぞれに個性がある。

「由布院を多様性のある町にしたい」

そういう想いが、溝口、中谷たちにはあったのだろう。


「玉の湯」は傍を川が流れているだけだった。周囲は田圃だけだった。何もなかったといってもいいだろう。

昭和二十八年に「玉の湯」は禅寺の保養所として生まれた。当時の写真を見ると、川に一本の橋が架かっている。橋の向こうに「旅館玉の湯」と書かれた看板がある。建物は普通の民家そのものだ。

当時、旅館の主であった溝口岳人《たけと》は、由布岳をいつも眺めていたといわれる。登山という習慣が珍しかった時代、岳人は由布岳に、生涯、五百回以上も登り、愛し続け、山案内なども無料でしていたという。そんな岳人である。山を汚したり、植物を盗んだりする人を見つけると、烈火のごとく怒ったらしい。

「山がわからん奴は山に登るな！」

岳人の口癖だった。

昭和のはじめの由布院には避暑のため多くの外国人が来た。当時の田舎では珍しかったオルガンなどを弾いていた岳人は外国人を喜んで迎えた。彼らを泊めるための別荘を造ったのも庄屋であった岳人であった。雑木林の中に建てられた別荘は近代的なスタイルというかシンプルなものだった。

別荘の写っている写真を見ると、建物の周囲に日本庭園のような凝った庭はなく、自然そのままの中で、外国人たちが茶を飲みながら憩っている。その人たちも由布院の自然を愛してくれたらしい。だから、由布岳の見えるゆたかな自然が最高のもてなしだと、岳人は考えていたのかもしれない。

日田から来た溝口も登山が好きだった。若い頃から由布院を訪れ、岳人からいろいろなことを教わっているはずだ。

「町誌・湯布院」に、溝口は岳人について書いている。

「自然保護をうたい、由布山がいつまでも今のままの美しい姿であるように見守った。

まるで、由布山に対するナイトのように、岳人は必死で山を守り続けていたのだ。足が弱くなってから（中略）、背を丸め、庭先から由布山を飽かず眺めていた岳人の後ろ姿が、ふとなつかしく目に浮かんでくる」

岳人の想いが、溝口にも引き継がれていることも確かなようだ。由布岳の麓に咲くキスゲやエヒメアヤメなどの花の話をする時の溝口は嬉しそうだ。

まちづくりのひとつのコツは、地域の自然を愛することだといってもいいだろう。溝口や中谷を見ているとそのことを実感する。

「玉の湯」は、和室が三、和洋室が十五で計十八部屋、すべてが離れだ。「亀の井別荘」と同じく部屋数が少ない。

「敷地が狭いので、あまり部屋数を多くできませんでした」

溝口の口癖だ。部屋数よりも、溝口が雑木林や草花の自然空間にこだわったためだろう。しかし、部屋の質は落としていない。どの部屋も二室以上あり、和洋室の洋室のほうに北欧製の白木のベッドが置かれている。そして、いずれの部屋にも檜風呂が付設されている。

だから、旅人は旅館に着いて、風呂へ入ってひと眠りができる。それから由布院散策を愉しむこともできるのだ。「玉の湯」のチェックインの時間は午後一時、チェックアウトが正午という。旅人の気持ちに十分こだわっていることがわかる。

「玉の湯」へ、評論家の小林秀雄がよく来ていたことは、あまり知られていない。

平成十四年は、小林の生誕百年の年にあたった。生誕百年を記念しての冊子に、溝口は小林に関する想い出話を綴っている。その冊子により、私ははじめて小林秀雄が由布院へ来ていたことを知った。

「小林秀雄さんは由布院へよく来られていたのですか。どれくらい滞在したのですか？」

私は溝口に尋ねた。

「昭和四十八年の秋に、先生は初めて由布院へおいでになりました。雑誌社の方たちとご一緒でしたね」

溝口は話してくれた。

「それからです。先生は、年に、一、二度でしたが、よく由布院へおいでくださっていました。奥様や画家の那須良輔ご夫妻もよく一緒でしたね。那須さんは、新聞に風刺のカットを連載していたから、長くは滞在できなかったのでしょうね。それにつきあうということで、先生も三日程度しか由布院に滞在しませんでした。こんなこともおっしゃっていましたね。『由布院のことを、私は書かないよ。私が由布院のことを書くと、多くの観光客が来て、由布院の静けさが壊されてしまうようになるからね。由布院は今のままだからいいのですよ』とね。先生は由布院をこよなく愛してくれていました。そうですね、先生は由布院の温泉が好きでしたね。温泉にはよく入ってくれましたよ」


入口から玄関口へ続く木立の中の小径も、小林のアイディアらしい。当時、玉の湯は、フロントのある玄関まで車がつけられるようになっていた。

「お客様と車が交叉して、お客様にご迷惑をかけています」

溝口が小林に嘆いたらしい。

「道を狭くすればいいんだ。そうすれば車が入れなくなる。コンクリートなどの柵をするのではなく、草花や木々を植えればいいんだよ」

小林はいかにも良いことを思いついたかのように言ったらしい。

それから、溝口は玄関前の庭造りをはじめた。

地質や生態系について大学の教授に調べてもらった。植樹する樹木については、造園業者へは頼らず、森林学者に依頼をした。そこが溝口らしい。その結果、「玉の湯」の周辺に生えている樹種がいいということがわかった。溝口は、由布院のクヌギ、ケヤキ、コナラなどを移植した。

人の手が入っているのに、人の手が入っていないようにみえる。自然そのままのような林の木立の庭を、溝口はつくりたかった。

それになにより、年に一、二度、「玉の湯」を訪れてくれる小林の喜ぶ顔を、溝口はいつも脳裏に浮かべていた。書籍や雑誌などの写真では、小林はいつも厳しい表情をしている。玉の湯ではそうではなかった。小林は、温泉へゆっくりと入り、穏やかな顔で溝口はじめ女将、スタッフたち、仲居たちへやさしく接してくれていた。

「これでいいだろう。これが『玉の湯』らしいというか由布院らしい庭だよ」

溝口が庭づくりをはじめて三年が過ぎた頃、小林は満足げにそう言った。

このような話もあった。フランス文学者でファーブルの研究家でもある奥本大三郎が玉の湯を訪れた時のことだ。奥本が庭を見ながら言ったという。

「これは虫屋の庭だ。ここの雰囲気は、虫が育つ、小鳥が来る環境をつくっている。こんなことをするなんて普通の旅館のおやじじゃないな」

これもあまり知られていないが、溝口は「日本昆虫学会」と「日本鱗翅《りんし》学会」の会員なのだ。旅館の主になる前、溝口が日田市の博物館に勤めていたことは前述した。当時の溝口は、九重《くじゅう》連山の山々や長者原《ちょうじゃばる》の湿地帯、草原、原生林などで蝶を追っていた。だから、溝口は自然に詳しく自然環境への思い入れには深いものがあるのだ。

小林が愛してくれた「玉の湯」の玄関までの木立の中の小径は短い。短いけれど自然ゆたかだ。四季折々の風景を見せてくれる。今では「小林秀雄の径」と呼ばれている。

その小径は、由布院の中でも、「由布院らしさ」をより感じさせる場所なのだ。

「まちづくりの達人」である中谷と溝口、「亀の井別荘」「玉の湯」のふたつの旅館について簡単に述べた。

由布院のまちづくりにおいて、「まちづくりの達人」である中谷と溝口は、教えるのではなく、実践することにより、仲間たちを引っ張ってきた。こうだから、ああだからと、理屈ばかりでは、まちづくりは前へ進まない。年上が年下を教えながら引っ張る。それでは、長続きはしない。

「由布院みたいに、いろいろな仲間が勝手に芽吹いて、勝手連ふうに元気に動いている町は珍しい。親分子分の関係でひとつに統括されていないことはいいことだと思うよ」

中谷がそう言うと、溝口が次のように応える。

「大らかで自由な風土ができてくると、町はもっと愉しくなるし、外の人も来る甲斐がある。一人ひとりの感性を大事に育んでくれることによって、感動なり感激なりが生まれてくるんだと思うね。その中から、新しい人が育っていくと思うよ」

由布院という風土が人をつくり、人が由布院という町をつくって生きていくということだろう。

第二章
由布院らしい「まちづくり」

1．由布院らしい交流会

祭りの後の交流会

まちづくりというものは、すべてがうまくいくというものではない。まちづくりには利害がいやおうもなく絡んでくる。応援してくれる人もいれば、足を引っ張るというか反対する人もいる。いつもトラブルが絡んでくる。焦りや勘違いからいろいろなハプニングが生じる。だから、他人から見れば、まちづくりはドラマチックでもあり、痛快無比でおもしろいこと間違いなしということになる。

由布院のまちづくりを見ていても、「これはドラマだ」と思うことがしばしばある。由布院の人たちが、由布院盆地という劇場の舞台で演じている。「まちづくり」というタイトルで、由布院らしさを求めながら演じている。それはそれで「奇跡」と呼んでもいいのかもしれない。私にはそう思えてくるのだ。

それでは、由布院らしいまちづくりとは、どのようなことなのだろうか。

まずは、映画祭や音楽祭などのイベントの後での「交流会」だろう。そして、夜な夜な行われている「勉強会や話し合い」と、イベントやフォーラムなどでがんばるボランティアの人たちだろう。この章では、由布院らしい「交流会」「勉強会」「ボランティア」にがんばる由布院のおばさんたち」について語っていきたい。

由布院では、映画祭や音楽祭などが終わると、監督、俳優、演奏者などのゲストを交えての交流会が必ず催される。祭りの後に、映画祭や音楽祭の余韻に浸りながら、お互いの交流を深めようということだ。会場は、町内の旅館、ホテル、レストランなどとなっている。

交流会も二十数回も続くと、みんな慣れてくる。手づくりの交流会だが、みんなの手際も良くなる。スマートになってきたと言ってもいい。村というか田舎の宴が器用にスマートになってはおしまいだ。不器用であるが、刺激的というか、狂喜乱舞にして抱腹絶倒というのが、田舎の宴なのだ。

由布院の人たちも、そのことを感じていたのだろう。

平成十四年の「ゆふいん文化・記録映画祭」では、交流会の会場が変わった。映画祭の会場となっている中央公民館近くの乙丸《おとまる》公民館となった。地元の住人の寄り合いの場である。祭りの後の時間を、みんなで愉しもうということになったのだ。

旅館やレストランなどでの交流会は、会場設営や飲食の準備は店の人たちがとどこおりなくやってくれる。公民館ではそうはいかない。映画祭のスタッフたちがやらなくては誰もやってくれない。映画祭以外の仕事が増える。それでも、スタッフたちは、乙丸公民館への変更を決めた。

実行委員長の中谷の言葉を借りるならば、「地元へもっと入っていこうよ」ということだ。映画祭が終わった後、中谷から入ったファックスにはこう書かれていた。

「夏の映画祭が根付きはじめるのに三十年近くかかっております。根付くというのは地元の人が元気に受け入れてくれるということです。今回、『ゆふいん文化・記録映画祭』が地元へ入ることができたのは、乙丸の公民館を『根城』にしたからです。根城だから、必ずそこへ帰ってくる。そんな感覚が、新町や本町の青年たちの『受け入れ』を元気にしたようです。多分、前夜祭の上映から、最終日のサヨナラ晩餐まで、彼らが『お祭りの出店』のような『受け入れ』をしてくれました。だから、愉しい会になりました」

その「ゆふいん文化・記録映画祭」のサヨナラ交流会でのことだ。

最後の映画の上映が終わった。ロビーには、監督トークのためのにわか仕立てのステージや聴衆席が、スタッフにより設置されていた。映画を見終わった観客たちは、今度は聴衆として、監督トークを愉しむことができるのだ。

司会者の紹介によって、監督トークが始まった。四十分程度の時間が過ぎた。監督が聴衆からの二、三の質問を受けてトークを要領良く終えた。

拍手の中、中谷が聴衆席からステージへ駆け寄ってマイクを握った。

「監督、どうもありがとうございました。これで、今年の映画祭も終わりということです。後は、『サヨナラ交流会』です。みなさん、後ろを振り返って下さい」

中谷が後方を指さした。ひとりのスタッフもいなかった。受付、切符もぎり、アンケート回収、本の販売などにがんばっていたスタッフたちがひとりもいなかった。ロビーは静かだった。司会をしていたスタッフもいなかった。監督トークが始まると、すべてのスタッフたちは乙丸公民館へ駆けつけていた。交流会の準備に奔走していた。

だから、中谷がひとりで仕切らなければならなかったのだ。

「スタッフたちは交流会の準備をして皆様をお待ちしています。是非とも乙丸公民館の方へ足を延ばして、今回の映画祭の感動の余韻を分かち合いましょう」

由布院のイベントは確かに手づくりだ……私は実感させられた。


乙丸公民館まで歩いて五分とかからなかった。灯りのついた公民館が見えた。スタッフがすべての窓というか扉をはずしていた。

入り口では、地元の青年団の若者達が焼き鳥を焼いていた。ビールを売っていた。炭火の紫の煙が揺らめいていた。祭りそのものといった雰囲気が漂っていた。

参加料を払って受付を済ませると、観客たちは、各自、座布団を持って好きなところへ座った。監督、製作者、カメラマンなど映画関係者の人たちも散らばって座った。畳の上だ。みんなあぐらを組んでいた。簡単なおつまみがテーブルの上に置かれていた。ビールなどを既に呑みはじめている人たちもいた。

中谷が中央公民館から駆けつけた。手が空いたスタッフたちも座った。全員で乾杯をした。交流会が始まった。

他の用事を終えた溝口も駆けつけてきた。旅館の仕事の合間を見つけて、由布院の老若男女の人たちも交流会へ加わるためにやってきた。映画祭へ来た観客の人たちをもてなすためもあるが、ともに語ろうということだ。

地元の男衆が、舞台で神楽を舞いはじめた。大蛇《おろち》退治のシーンでは、口から炎と煙が吐き出された。宴会の場に、スモークが漂った。交流会は田舎らしく急激に刺激的に盛り上がっていった。商店街を通りかかった浴衣姿の観光客たちも中へ入ってきた。映画祭が、映画祭の会場から地元へ、そして観光客へと、「交流の輪」を大きく広げていった。

そのような時を見計らうかのように、「ゆふいん料理研究会」の料理人たちがつくった料理が運び込まれ、テーブルの上に並べられた。会長である新江憲一《しんえ》はじめ由布院の料理人たちが昼間から準備してきていたのだ。それぞれの料理は、それぞれの料理人が趣向をこらした創作料理だ。

「由布院の食材でつくりました。驚き、懐かしさ、想い出を感じて戴ければ嬉しいですね」

新江ら料理人たちも、交流会の中へ入ってきて、料理の説明をしながら呑みはじめた。

交流会が絶頂に達したとき、若者がすくっと立ち上がった。ステージ横の幕に身を隠すように潜んだ。そして大声で叫んだ。

「東西、トーザイ、幕内ながら、只今より、お花のおん礼を申し上げます。ご当所誰それ様、誰それ様、お花のおん礼ィ〜い」

オーッとの歓声と拍手が起きる。叫んだ若者が金額と寄付した人の名前を書いた紙を柱に貼り付ける。すると、別の若者が会場内を回って、またお花を頂戴するのだ。

「また、また、下さいました。東西、トーザイ、幕内ながら、只今より、お花のおん礼を申し上げます。東京からおいでの誰それ様、誰それ様、お花のおん礼ィ〜い」

これは田舎の宴会そのものではないか。私は驚きながら若者たちを眺めていた。

田舎の宴会は、それだけで終わらない。

映画祭では、山形の上山《かみのやま》市の名産・紅干し柿をテーマにつくられた映画「満山紅柿《まんざんべにがき》」

が上映された。それを応援するために、上山市から市長はじめ十数人の人たちが来ていた。彼らも交流会の座の中にいた。上山からわざわざ名物の納豆を持参して「納豆汁」をつくってくれて、会場の人たちにふるまってくれた。それが、また、交流会をより盛り上がらせていた。上山の人たちが、突然、立ち上がった。「花笠音頭」を唄いだした。そして、なんと踊りはじめた。

すると、由布院の人たちも立ち上がった。観客たちも立ち上がった。ゲストたちも立ち上がった。観光客たちも立ち上がった。みんな円い輪となって両手を上へ挙げて踊りはじめた。夜の更けるまでいつまでもいつまでも続いた。

どうだろう。これが、由布院らしい「祭りの後の交流会」なのだ。

マキノ監督の涙

もうひとつの「交流会」のことを語ろう。

「湯布院映画祭」の事務局長を長い間やっていた横田茂美が語ってくれた話だ。

「映画祭を長く続けていると、今回は成功したなとか、今回はちょっと失敗かなと思う時がある。私のベストスリーをあげると、第六回、第十六回、第二十二回かな」
そして、横田は第十六回での「交流会」のことを話してくれた。

平成三年の夏に開催された第十六回の映画祭は、「マキノ雅広監督」の特集を組んだ。四歳より映画に出ていた監督は、八十三歳になっていた。監督が映画社会へ入ってちょうど八十年が過ぎていた。それならば、監督の作品の上映とともに、「マキノ雅広映画渡世八十年をお祝いする会」を交流会として催そうではないか。映画祭の実行委員長の伊藤雄や横田はじめ実行委員たちは計画した。交流会をなにかにつけこじつける。それが、実行委員の人たちには愉しいのだ。

映画祭の前日、台風が九州に近づいていた。当日、最悪なことに、台風は由布院に最接近ということになった。由布院の町は、朝から激しい雨が降り続け強烈な風が吹き荒れていた。

映画祭の初日は平日の木曜日だ。横田によると、例年の映画祭なら、五十人程度の観客の入りということだ。それが、暴風雨の中、百人以上の観客たちが上映開始を待っていた。

さすがマキノ監督だ。伊藤と横田は思った。

お祝いの会場は「ゆふいん健康温泉館」にしていた。映画祭会場の中央公民館から歩いて十分足らずのところにある。映画の上映終了後、夜の十時開会の予定だった。

当初の計画では、中央公民館から健康温泉館までの道筋に、松明《たいまつ》をずらりと並べて灯すことにしていた。その中を、車椅子に乗った監督がゆっくりと会場まで進む。監督の顔が松明に浮かぶ。その後を、映画祭のゲストや観客たちがついて行く。

「これは任俠映画だよ。これは、マキノ監督のつくる映画そのものではないか」

横田の話を聞きながら、私は叫んでしまった。

台風による強い雨風のために、その企画は中止になった。しかし、実行委員たちの監督に対する想いは、雨風をものとはしなかった。

十時前に、作品の上映が終わった。松明は祝いの会場の周囲に移されていた。会場を浮かび上がらせるかのように、松明は激しい風に揺れながらも煌々《こうこう》と燃えていた。

消防署勤務の実行委員が火消し装束の法被《はっぴ》を持ち込んでいた。法被をまとった実行委員たちは勢揃いして監督の到着を待っていた。法被の襟には「マキノ一家」「湯布院映画祭」という文字が縫い込まれていた。

湯平の竜神太鼓の面々が太鼓を激しく打ち鳴らしていた。ここでも、地元の男衆はスモークを吐き出しながら神楽「大蛇退治」を舞っていた。会場は交流会がはじまる前から熱くなっていた。

その中を、ゲストや観客たちが入ってきた。最後に雨合羽を羽織った監督が車椅子に乗って飄々《ひょうひょう》と入ってきた。監督の娘さんが監督の雨合羽を取った。監督は帽子を被った純白のスーツ姿だった。スーツも靴も帽子もそして車椅子も、由布院へ来るためにすべてを新調したのだ。

「イナセだなあ、これこそ映画だよ」

横田は胸の震えがとまらなかったらしい。

まずは甥の津川雅彦が挨拶をした。津川の挨拶が終わると、付き添いを断って、監督は車椅子を自分で操ってステージ中央へ進んだ。

岡本喜八、津川雅彦、鈴木則文、澤井信一郎、山根貞男らが、監督の背後に監督を囲むかのようにずらりと並んだ。そして、マキノ組の歌を朗々と歌いはじめた。監督は膝の上の指で拍子をとっていた。横田は高揚してくる気持ちを感じていた。

♪旅に出たとよ、出たとよ、誰が泣いてくれよかなぁ〜
蓮華、菜の花、うれしやな〜花の咲くよ〜
旅に出たとよ、出たとよ、誰が泣いてくれよかなぁ〜
山のかけすも、かなしやなぁ〜とびが泣くよ〜

泣き虫で有名な伊藤はステージ横で肩を震わせていた。出ようとする涙を我慢していた。

歌が終わった。監督は車椅子でマイクに近づいた。両手でマイクを握った。

「八十年を祝って戴く、こんなことは夢にも思っていなかった。そして、くだらない二百六十一本の中の何本かのくだらない映画を、皆さんに回顧して振り返って見て戴ける。これさえも、僕にとっては最高の喜びなんです。長い映画人生、『父上様！』と、まずは子役から出発しました」

会場は物音ひとつしなかった。緊迫した空気が漂っていた。横田たちも緊張していた。監督は話を続けた。

「想像してみて下さい。映画がトーキーでない時代には『イロハニホヘト』と言っていた子役が十八歳で監督になり、そして二百六十一本。八十年です。本当に今年が足かけ八十年になる。自分では気づかなかった。それをみなさんに祝ってもらってはじめて、ああ、俺は映画生活八十年を今まで続けてこられたんだなぁと、つくづく、今夜は思いました。ありがとうございました」

緊迫した空気が緩んだ。ゲストも観客も誰もが拍手をした。

「口々に宣伝して見てやって下さい。日本映画を見てやって下さい」

監督の口調はお願い口調になっていた。みんなは、また、黙った。雨と風が窓を叩く音だけがしていた。

「外国映画は見ても意味ない。見ても意味ないんです。外国映画は思想が変わりますからね。日本映画には情感しかないんです。外国映画を一時やめてでも、日本映画を見て下さい。そしたらみんなやれる限り努力できるんですよ。日本映画のためにも、どうかみなさんが日本映画を見てやると約束をしてくれませんか。実行して下さい。この約束を実行に移して下さるまで、僕は死にきれません。実行されたら、本当に冥土の旅だ。ありがとうございました」

監督は深く頭を下げた。泣き顔を見られたくなかったのかもしれない。一瞬の沈黙があって、次々に、拍手が湧き上がった。みんな泣いていた。みんな大きく頷きながら泣いていた。日本映画を絶対に見る。見てやるぞ。そう約束するかのように……。

伊藤がステージに立った。佇むだけで何も言えなかった。涙が伊藤の言葉を奪っていた。会場の誰もが目を真っ赤にしていた。

澤井が監督の後ろから車椅子をゆっくりと押した。澤井を少し振り返って、監督はつぶやくようにぼそりと言った。

「あれでよかったんか？」

「よかったですよ」

澤井も低く答えた。監督はほっとした顔を見せると安堵の顔で微笑んだ。

「泣いて言うしか(お礼の方法を)知らんもんな」

澤井は泣いた。監督の挨拶の間は我慢していた涙が一気に溢れてきた。

「あの交流会がその年の映画祭のはじまりだったのに、もうクライマックスを迎えた気持ちだった。それは、私だけでなく会場にいた人は、誰もがそうだったと思うよ」

横田が感慨深げにそう話を締めくくった。これも由布院らしい交流会なのだ。

2．由布院らしい勉強会

四十余年前まちづくりをはじめた時、中谷や溝口はじめ由布院の人たちはよく「話し合い」をした。「産業部会」「環境部会」「人間部会」とジャンルを分けて、それぞれのテーマを決めて話し合いをしていたという。産業、環境はともかく「人間部会」というそのネーミングには、由布院らしいといえばそうだが、私はよくぞと唸ってしまった。まちづくりにがんばっていた由布院だから、話し合いの場は盛り上がったに違いないと想像がつく。しかし、いつも盛り上がっていたのではない。当時、まちづくりにがんばっていた人たちが発行していた「町造り雑誌・花水樹《はなみずき》」には、話し合いの模様が掲載されている。

出席者は、志手、中谷、溝口などわずかに五人だった。

「こう集まりが少ないいんじゃ、会の組織替えをせないかんのじゃねえかい？」

「来んからちうて、その人を傷つけたりすると、この会が痩せてゆくじゃろう」

「いや、やりよるうちに新しい人が入ってくりゃいいけれど、この調子じゃ、パッとせんで」

「うん、しかしまだ努力の余地はあると思うな」

出席者が少なくて苦悩していることが推察される。このような話し合いの状況を雑誌に掲載している。大分弁まるだしだ。そのことに驚かされる。そして、由布院のまちづくりが順風満帆でなかったことがよくわかる。

それから十五年が過ぎた頃だ。私は由布院の話し合いというか勉強会へはじめて出席した。季節は秋も深まった頃のことだ。

「今夜、由布院でまちづくりの集まりがあります。一度出かけてみませんか。今夜は、『由布院に蛍を復活させよう』というテーマらしいですよ」

当時職場の同僚であった湯布院町出身の清水嘉彦から誘われた。

会はみんなの集まることができる夜の八時からはじまる。終わる時間はわからない。おそらく午前零時を過ぎるだろう。それが由布院時間というか由布院スタイルとのことだ。

由布院のまちづくりとはどのようなものだろう。当時の私は由布院に関心を少し抱いていた。清水の誘いを受けることにした。

薄暗い径を歩いて、私たちは亀の井別荘の奥へ入った。静かだ。由布院の夜は静かだが、亀の井別荘の中はより静かだ。中谷の部屋に、十人程度が集まっていた。やけに少ない。このようなものなのだろうか。

「みなさん、旅館などの仕事を終えて来るから、三三五五、集まって来るのです」

私の横で清水がささやく。清水と私は、部屋の隅に座っていた。

中谷がぶらりと入って来た。

中谷の進行で勉強会はさりげなくはじまった。熊本から来たという蛍の専門家が話をした。話が終わると、みんなが次から次へと質問をした。みんなが事前に勉強をしているということだ。田舎の人は無口と言われるが、由布院では違っていた。

それになにより、女性の参加者が多かった。当時のまちづくりというと、まだまだ男性中心というか、女性は家事や育児に追われて参加が困難だった。それなのに、由布院では女性の姿が目立った。女性の発言が多かった。その意見の内容が鋭いというか的を射たものが多かった。これが由布院のまちづくりかと、私は驚かされた。

会の途中、ひとりの男性が遠慮がちに入って来た。私の隣に座った。

「この写真はね、由布院のどこそこの川なんですよ。ここなら、蛍の餌になるカワニナを育てられると思うのですがね」

男性が、私に写真を見せながら低い声でささやいた。溝口だった。

議論は続いた。内容は具体的な話へ移っていた。

「先生の話や今までの議論で、由布院でも蛍の復活はできるということがわかった。問題はカワニナを育てる環境づくりと水質の保全だよな。これはまちの人たちにも協力をお願いしないといけないな」

中谷がみんなの顔を見ながら言った。

私は蛍の飛び交う風景を思い浮かべながら言った。

「そして、『蛍祭』のようなものをやりたいですね」

中谷か溝口のどちらか、よく覚えていない。次のようなことを言った。

「うん、それはどうかな。蛍というものは、地元の人が愉しめばいい。そう、『蛍が出はじめたから帰ってこないか』などと、東京へ嫁いだ娘や孫を呼ぶ。『蛍が出ているようです。ちょっと見に行きませんか』と、旅館へ泊まっているお客へお誘いの声をかける。それくらいでいい。蛍というものは、イベントをするとかそのようなものではないと思うよ」

蛍は、田舎の季節の風物詩のひとつだ。だから、イベントをしてまで、騒ぎ立てることもない。集まった人たちも、みんな、納得したような顔をしていた。

「それにしても、最近、みんな、元気というか覇気がないよな。少し息切れをしているのかな。俺たちが若い頃は、俺が俺がと喧嘩になるぐらい議論をしたものだぜ」

中谷がぽつりと言った。ワインを呑みながらの自由討議になっていた。

「昔は、観光客も少なくて、みんな暇だった。だから、議論する時間はたっぷりとあったからね。それに、喧嘩でもしなければ暇をもてあましたからね。そうそう、話はちょっと逸れるが、今日、こんなハガキが私のところへ来たんだ。『先日、あなたの講演を聞きながら思いました。由布院のまちづくりとは、結局、まちづくりの評論家をふたり育てただけだ』と、そんなことが書いてある」

一枚のハガキを取り出して、溝口がみんなに読んで聞かせてくれた。

「ふたりの評論家と言うと、俺と薫平さんのことだろうね。そうか、評論家か。旅館の亭主が評論家になってしまっちゃおしまいだよな。困ったふたりだ。さあ、どうしよう」

中谷が天井を見上げた。時間は午前一時近くになっていた。

「さあ、今夜はこれで終わろうか。今夜の議論を、みんながどう思ったか。今から配布する紙に書いてくれないか。そしてそれを、一人ひとりが順番に発言してくれないか」

中谷が促した。一人ひとりが発言した。驚いた。みんな、確かな意見を持っていた。みんな、確かなことを考えていた。

みんなの発言が終わると、中谷がまとめの話をした。そして、みんなの今後の行動を確認し合った。それが、由布院のまちづくりの勉強会だった。


翌日、ファックスが届いた。全員の発言内容が要領良くまとめられていた。

「なお、このファックスは、下記の方々へも配布しています」

ファックスの最後に、一文が添えられていた。書かれていた人たちの名前を見た。参加者の名前の次に、湯布院町内の人たち、全国のまちづくりにがんばっている人たち、大学教授、研究者、作家、文化人、行政関係者などの名前がずらりと記載されていた。

由布院に関する情報をいつも発信する。すると、多くの人たちから、いろいろな反応がある。それを、また、由布院のまちづくりのひとつの糧《かて》にする。

由布院のまちづくりの周到さのひとつを、私は垣間見たような気がした。


そして、蛍はどうなったか。あの勉強会から十数年が過ぎた。

現在、五月の終わりになると、由布院のあちらこちらに蛍の舞う姿を見ることができる。由布院の蛍は群舞せずに三、四匹が自分たちの場所はここと決めたかのようにちらほらと飛んでいる。

川沿いの家々の玄関先の灯りがしばし落とされる。由布院の人たちも宿泊客たちも、夏入り前の風物詩である蛍をゆっくりと愉しむことができるのだ。

「由布院の蛍は宵っ張りというか夜遅くまで飛んでいるんですよ」

溝口が言っていた。

五月の終わりというと、「ゆふいん文化・記録映画祭」が催される時である。映画祭の交流会が終わるのは午前零時を過ぎる。旅館へ戻る途中の草むらに、一匹の蛍がひっそりと飛んでいることがある。

まさに由布院らしい蛍である。

3．由布院のおばさんたち

由布院が田舎ということを感じさせる由布院らしい人がいる。由布院のおばさんたちだ。

由布院で催されるイベントでは、由布院のおばさんたちの姿をよく見かける。イベントの食事の時間には、おばさんたちによって、郷土料理の団子汁や地鶏おにぎりなどがつくられ、振る舞われる。「映画祭」「ウォーキング」をはじめとするいろいろなイベントだけではない。「交通実験」や「まちづくりシンポジウム」などの際も同様で、関係者や観光客に喜ばれている。

そのような場には、白い割烹着をつけた由布院のおばさんたちの姿が必ずある。中谷が話をしてくれたことがある。

「由布院では、おばさんたちを大切にしています。何か催しものをやる時に、料理人がつくるものだけでなく村の喰いものでももてなそうといった場合、電話一本でおばさんたちは来てくれます。そして、団子汁や地鶏おにぎりなどの郷土料理を手際よくつくってくれます。時には、ロングスカートなどをお召しになりおしゃれをして、ホステス役をも務めてくれます。由布院のおばさんたちは、どんな場合でもびくともしないのです。由布院の男衆は大いに助かっているのです」

おばさんたちのひとりに、小野タツ子という人がいる。小野の気配りというかおもてなしに、私はいつも癒される。そこに由布院らしさを覚えるのだ。

由布院散策というウォーキングのイベントでのことだ。昼食を求める人へ、小野はおにぎりを配っていた。手渡す時に、小野は声をかける。

「お疲れさん、今日はおいしくできたけんな。うんと食べちょくれ」

大分弁丸出しだが素朴でやさしい。その響きだけで十分なる由布院らしいおもてなしだ。そこに、小野の微笑みがおまけにつく。ウォーキングのゴールへたどり着いた人の疲れが一気にほぐされていく。

冬の寒い日、まちづくりのシンポジウムがあった時のことだ。昼間に、団子汁が振る舞われた。小野はもちろん賄い方にいた。団子汁を杓子ですくい器へ入れながら添える小野の言葉がなかなかのものなのだ。

「おいしいところを入れてあげるわな」

由布院のおいしい団子汁だが、よりおいしく感じられてくる。

そして、温泉などへ入れば、誰もが由布院らしい癒しの世界の中へしみじみと浸ることができるというものだ。


小野をはじめとする生活改善グループ「すずな会」のおばさんたちは、三日間のイベントで、四千二百食もの弁当をつくったことがあるらしい。その量にも驚かされるが、それをつくることができるおばさんたちのエネルギーにはより驚かされる。

おばさんたちは、地元の名産をつくろうと、「地味噌づくり」などにもがんばってきた。味噌づくりは体力勝負だ。

「蒸した大豆をな、こう抱えて、鍋の中へボーンと入れてかき回すんじゃ」

小野は身振り手振りで話をしてくれた。

「売り上げの一部を積み立てて中国へ行こうえ」

おばさんたちは相談をして味噌の売り上げの一部を積み立てた。思いがけぬ金額になった。中国旅行がハワイ旅行になった。おばさんたちはハワイから戻ってもがんばった。また積立金が貯まった。

「最初に中国へ行こうえと言ったけん、今度は中国へ行こうえ」

おばさんたちは中国の旅をも愉しんだ。

「ハワイや中国は愉しくて良かったけれど、やっぱり由布院が一番やわな」

小野は幸せそうに笑いながら言った。


数年前、小野の自宅で話をしたことがある。漬物とお茶を出してくれた。小野は大分弁を交えながらいろいろなことを話してくれたが、最後に、小野はきっぱりと言った。

「百姓はいいわな。野菜や花は、人が手をかけただけちゃんと育ってくれる。それになにより、人に気兼ねをせんでもいいからな。パン屋の手伝いをしたことがある。するとな、人から命令されるんじゃや。しちめんどくさいわな。百姓なら、一国一城の主じゃわな。誰から何もいわれん。自分の思うとおりにやれるけん、百姓が一番じゃわな」

今日も、由布岳を背景に、小野をはじめ由布院のおばさんたちはもんぺ姿で農作業に精を出しているにちがいない。農作業の手を時々休め、腰を叩きながら由布岳を眺めていることだろう。由布院の自然に抱かれてお年寄りが元気に働いている。由布院らしいといったら最も由布院らしい光景だ。

第三章
「まちづくり」のあゆみ

1・「ゴルフ場反対！」と観光業者が叫んだ

「まちづくり」の原点

別府から由布院へと車を走らせる時、まず目に入るのが、猪《い》の瀬戸《せと》という湿原だ。道路以外、人工的な施設がひとつもない。

湿原を過ぎると、右側に青々とした草原が広がる。目線を上へあげると、無骨だがなんとなく懐かしさを覚える由布岳が見える。峠を越え、狭霧台《さぎりだい》に車を停めて佇むと、由布院盆地を一望することができる。

「由布院盆地だ。由布院へ戻ってきたのだ」

その瞬間を味わいたいがために、由布院を何度も訪れるリピーターもいるに違いない。

由布院へ向かう途中の風景は、自然のゆたかさを十分に感じさせてくれる。猪の瀬戸の自然は、ともに観光温泉地である別府と由布院の間にある。

交通の利便が良い。風光明媚な景観が広がっている。開発されてもおかしくないところだ。

猪の瀬戸の自然は、どうして残されたのだろうか。

昭和四十五年、猪の瀬戸の湿原に、ゴルフ場が造られようとした。貴重な植物が生息している湿原だ。周辺には、広葉樹などの樹木が生い茂っている。

昭和四十五年というと、大阪万博が開催され、我が国の人口は一億人を超えていた。戦後の経済復興は終わったと言われていた。全国のあちらこちらで開発ブームが起こっていた。

七月、夏の盛りといってもいい頃だ。盆地である由布院の夏の暑さは耐え難いものだ。当時、由布院の観光客は現在の三割程度だった。夏場の蒸し暑い季節は特に少なかった。映画祭も音楽祭も、まだ、はじまっていなかった。由布院はのどかで静かだった。中谷は縁側でのんびりと昼寝でもしていたに違いない。

その中谷のもとへ溝口は走ってきた。

「オオゴトじゃ、猪の瀬戸がゴルフ場になるでーッ」

中谷と溝口は猪の瀬戸へ駆けつけた。

「この美しい花たちを守らにゃ」

自然に詳しい溝口が、猪の瀬戸の湿原に生息している動植物がいかに貴重なものかを、中谷へ説明した。

「そうじゃ、ゴルフ場なんかとんでもねェ」

中谷が叫んだ。「ゴルフ場工事反対運動」ははじまった。

中谷は、すぐに、反対運動の事務局を由布院温泉観光協会に置き、自らが窓口となった。

また、運動を町内だけでしてもらちが明かない。ゴルフ場反対運動は、早急に、輪を広げ効果をあげなくてはいけない。工事は一旦着手されれば、反対運動などというものは急速にしぼむものだ。

中谷や溝口は才知にたけていた。ゴルフ場反対運動を、「猪の瀬戸の貴重な植物を守ろう」という自然保護運動へと変えていった。由布院だけの問題ではなく、全国的な環境問題として広く展開させていこうとしたのだ。

由布院温泉観光協会という狭い範囲だけではなく、町の内外、異業種などいろいろな人たちへ協力と参加をお願いした。生態学の先生、各地の自然を守る会のグループ、マスコミ関係など、あちこちへ、中谷や溝口は声をかけた。中谷や溝口の知り合いでもあった。宿泊したことで、由布院の自然を好きになってくれた人たちでもあった。それにより、まちづくりのためのノウハウを持った人たちと由布院の人たちとのネットワークを構築することができた。それは、それ以降の由布院のまちづくりの大きな原動力となった。

そして極めつきは、アンケートを実施したということだ。由布院や猪の瀬戸を知っているだろう百人の知名士から、中谷や溝口は詳しいアンケートをとった。「知名士百人へのアンケート」などとネーミングをつけた。マスコミは知名士に弱い。マスコミが飛びつきやすいように、中谷が策したことは想像できる。

知名士のほとんどの人たちが開発反対だった。アンケート作戦は完全に成功した。中谷や溝口たちの思惑どおりに、反対運動というか由布院支援の輪は大きく広がっていった。しかし、私的な「自然保護運動」と見られていては、なかなか前へ進むことができない。

公的な性格を帯びた機関として、みんなの理解を求めようとした。由布院温泉観光協会の中に、「由布院の自然を守る会」という組織を立ち上げた。

「明日の由布院を考える会」

自然保護運動を展開する中で、「由布院の自然を守る会」と由布院の人たちとの関係が微妙にこじれそうになってきた。当時、「自然を守れ」と言うことは、都会の人たちには受け入れられても、田舎である由布院の人たちにはなかなか受け入れてもらえなかった。

「由布院の自然を守る会」の機関誌として創刊された「花水樹」に、中谷は書いている。
「由布院は美しい町です。それはあなたが考えておられる以上に美しい町なのです。(中略)由布院の魅力の正体を知った上で私たちがどんな家に住み、どんな食べものを愉しみ、どんな樹の繁る路を歩き、どんな産業で生計を立てるべきかといった問題を考える。それが私たちにできる唯一の町造りの方法である筈です」

美しい由布院を見据えてまちづくりをやっていこう。アスファルト舗装の道路ではなく、自然を感じさせる砂利道を残そうではないか。由布院らしい茅葺き屋根の家を大切にしようではないか。「由布院の自然を守る会」の人たちが叫んでも、由布院に住んでいる人たちの理解を得ることはできなかった。

雨が降ればぬかるむ道よりも、舗装道路の方がいつも快適に歩けて便利だ。昼間でも暗い茅葺きの家よりも、アルミサッシの窓がある鉄筋コンクリートの家の方が防音がしっかりして見映えもいい。田舎である由布院の人たちも、やはり、快適な道路や住みごこちのいい家を欲していた。

それに、当時は、「開発」という言葉だけで、地域が活性化する。そう信じていた人たちが多かった。ゴルフ場を造る。金が投資される。雇用の場ができる。プレーをする客が大勢来る。町がにぎわう。観光業に携わるものとしては大歓迎だ。

そのゴルフ場計画を阻止しようと、中谷や溝口は、先頭を切って叫びはじめた。観光業者の中には、それを好ましく思っていない人も少なくなかった。だから、「ゴルフ場建設絶対反対！　貴重な自然を守れ！」と自然や景観ばかりを強調すると、「由布院の自然を守る会」は、町の中で孤立するということになる。

そこで、由布院を住み良い美しい町にするために、由布院の自然、景観を地域全体の問題として考えていこうと、会の名称を「明日の由布院を考える会」と変えた。

変えたと書くと、ものごとは簡単に進んだように思われる。決してそうではなかった。商業と観光業、住民と「自然を守る会」など、複雑に絡まって対立、離反、合併、融和そして対立、離反、合併、融和を何度も繰り返した。由布院は激しく混乱しながら大きく揺れた。その葛藤と混迷の中から、「明日の由布院を考える会」はようやく生まれたと言ってもいい。


「花水樹」には、こう書かれている。

「自然を守るという消極的な姿勢では由布院を美しく、豊かに保つことはできないという考えから、『由布院の自然を守る会』を正式に解散、あらためて『明日の由布院を考える会』として再発足することになった」

会の展開としては、次の三つをあげて積極的に取り組んでいくとしている。

・産業を育てて町を豊かにする。
・美しい町並みと環境をつくる。
・なごやかな人間関係をつくる。

それらについて、町の内外に関係なく、多くの分野の人たちと討論しながら、ひとつの企画や計画を具体的に生み出す会にしていこうと言明している。ここに、由布院のまちづくりのアクティブな姿勢が感じられる。

それらを受けて、会長となった病院院長の岩男《いわお》彰は言っている。

「私共の世代には実現し得ない夢の部分もあると思います。つまり夢物語りも含まれるかもしれません。しかし、私共は、その〝夢〟を大切に育て、五十年後、百年後の由布院に想いを馳せる雅量豊かな、そして想像力たくましい由布院人でありたいと願っております」

そして、由布院の町の人たちへ、岩男は語りかけるかのように言っている。

「いつの日か、『夢の実った町』『日本の中にポッカリと残った不思議な町』『住んでいる人が豊かで美しい町』……そんな町に育ってゆく過程を、ゆったりした気持で見守りながら、その実現のためにあらゆる努力を重ねてゆこうと思っています」

岩男のそのような想い、それこそが、地域で生きていくということではないのだろうか。

日本の中にポッカリと残った不思議な町……それが「生活観光地」であり、由布院の究極のあるべき姿なのかもしれない。


運動というか騒ぎはより大きく盛り上がっていった。結局、ゴルフ場の建設は中止ということになった。猪の瀬戸の湿原は守られた。

「明日の由布院を考える会」の運動の展開により、ひとつの結果がもたらされた。由布院は自然環境を大切にする町だと思われるようになった。

当時は、まだ環境（自然優先）よりも開発（経済優先）が重要視されていた。自然を大切にする由布院というイメージは、「健康保養温泉地」を目指す由布院にとって、大きな財産となったことは確かだろう。

2．「由布院らしいもの」探し

ヨーロッパへの旅

「小さな別府になるな！」

昭和三十年代の半ば、由布院の人たちがそう叫んだと、プロローグで述べた。由布院の人たちは、なぜそう叫んだのだろう。当時、町長であった岩男頴一《ひでかず》が言っている。

「別府のようになってはいけない。別府と同じ方向を目指したら、由布院は別府に取り込まれてしまう。別府のようにならないで、由布院の産業、温泉、自然の山野をダイナミックに機能させてゆこう」

そして、昭和三十四年に、湯布院町は「国民保養温泉地」の指定を受けた。

「国民保養温泉地」とは、自然環境に恵まれ、湯治効果を持つ温泉地の環境整備をして国民の利用を勧めるという、厚生省（現厚生労働省）が昭和二十九年に創設した制度だ。

当時、全国で湯布院町を含めてわずか十九の温泉地しか指定されていなかった。指定を受けるためには、「温泉の効能、湧出量及び温度」と「温泉地の環境」に関するいくつかの条件を満たしていなければならなかった。だから、指定を受ける温泉地は、温泉資源と自然環境に恵まれ、歓楽的な色彩のない健康的な温泉地でなければならなかった。

これにより、由布院は歓楽街的なまちづくりをしないという方向が決まった。

そうなると、反対にまわる人たちも出てくる。それが地域というものだ。

別府のように歓楽街があればこそ、観光客は温泉地へやってくる。観光客は金を使ってくれる。呑んで喰って唄って愉しむために、観光客は温泉地へやってくる。保養やら健康やらをアピールしても観光客は来ない。たとえ来たとしてもわずかだ。それでは金が落ちない。観光業をやっている者としては反対するのも当然なのかもしれない。

反対する観光業の人たちを、岩男、中谷、溝口たちは説得して回った。

「由布院は、由布院らしい独自の歩き方をしなくてはいけない。由布院の地域性を生かして、由布院らしい個性的なまちづくりを続けようではないか。今は、観光客が来なくて苦しいかもしれない。しかし、そのことを継続してやっていけば、そのことが輝く時代が絶対にやって来る。それを信じて、次の時代を生きる子供たちのために、『由布院はなんとゆたかな町なんだ』と言われる町を、みんなでつくっていこう。その想いを、みんなでつないでいこうではないか」

当時としては、画期的なことだった。全国の町がミニ東京化して、町の個性をなくしつつあった。繁栄しているところの真似さえすれば、同様に繁栄する。誰もがみんな、そう固く信じていた。

そのような風潮の中、中谷、溝口はじめ由布院の人たちは独自の道を歩きはじめようとしていた。

当時のことを、溝口が話してくれた。

「当時の由布院には失うものがなかった。名所、旧跡などなかった。だから、守っていくというよりも、新しいものをつくっていくという発想を持つことができた」

中谷がそれに応えた。

「そうだよな。当時、由布院には名物料理なんてなかった。お寺を自慢するとか、盆踊りを自慢するとか、豆腐屋を自慢するとか、僕らの親父の代にいろいろやってくれた人たちを自慢するしかなかった。そういうことから、『由布院らしいものとは何だ』探しが始まった」

その「由布院らしいもの」探しのひとつが、志手、中谷、溝口という三人によるヨーロッパの旅だった。

昭和四十六年六月上旬から約五十日間、志手、中谷、溝口の三人はヨーロッパを旅して回った。

国内の先進地だけを見ていたのでは、由布院が同じような温泉観光地になってしまう。それでは駄目だ。どうしたらいいのだろう。「由布院に住む者」「由布院を訪れる者」にとってより良い由布院の将来像とはどのようなものなのだろう。

ヨーロッパの温泉地にでも行けば、新しい何かを見つけることができるかもしれない。そう考えて、三人はヨーロッパへ研修のための旅に出ることにした。その旅には、五つの理由というか目的があった。

・歴史的・文化的に独立している傾向の強いヨーロッパの町を実際に見たい。
・北ヨーロッパの明るくて古い町を見て、暗い町のイメージからの脱却の方法を知る。

・自治の歴史の長い北ヨーロッパで、自主規制の問題を考えてみたい。
・小さい町に定住する者の生き甲斐、心の拠り所について考えてみたい。
・〝神〟という規範を持ち続けているヨーロッパで学校教育について考えたい。

ヨーロッパへ行きたい。由布院の目指すべき将来像を見つけたい。三人には強い志はあった。しかし、金がなかった。三人は銀行や農協へ借り入れを求めた。金融機関は冷たかった。

「まずは、お貸ししている借金を返して戴いてからの話としましょう」

宿泊客の少ない貧乏旅館の主人たちからの借金の申し入れだ。銀行の対応は当然だ。三人は頭を抱えた。町長である岩男に相談をした。岩男は農協長も兼ねていた。岩男が保証人になってくれた。ひとりあたり約七十万円という金が借りられた。また、調査費ということで、町がひとりあたり十万円の補助金を出してくれた。岩男が頑張って議会を説得してくれたのだ。

出発を前に、岩男が三人へ言った。

「世界をよく見てきてくれ。そして、俺はあんたらの保証人だから、保証人として言う。必ず元気に戻って来いよ。ううん、金の方はどうにでもなる。問題は家族だ。俺があんたらの奥さんや子供たちまでの面倒をみることはできないからな」

三人とも必ず無事に戻ってこい。家族に心配をかけるような無茶はするな。岩男らしい激励の言葉だった。

そして、三人の訪問先の大使館へ、岩男は親書を書いてくれた。

「三人の若者は、湯布院町を代表して、まちづくりの勉強のために御地を訪問致します。三人の身の安全を確保し、並びに何かあったら保護するようお願いします」

溝口は言っている。

「若い人たちが何か夢を抱いた時に、バックアップしてくれる先輩たちがいるかどうか。そのようなことが、挑戦する若者たちを育てるのではないか」

由布院によく来てくれていた人たちのアドヴァイスなどを受けて、三人はヨーロッパへ旅立った。当時の日本人にとって海外旅行ができるということは貴重な体験だった。

電車、バス、自動車、自転車とあらゆる交通手段で、ヨーロッパの各地を、三人は旅して回った。

由布院に似た小さな町や村の状況をできるだけ多く知りたいと、三人で手分けをして別々に見て回った時もあったらしい。朝、三人はそれぞれの場所へ行く。小さな町や村への交通機関は少なく、それぞれ自転車や徒歩で往復するということもあった。日本人が異国をひとりで回るということが少なかった時代だ。心細かったはずだ。夕方、ホテルでの再会を、三人は手を取り合って喜んだ。そして、五十日の滞在期間の間に、三人は三百以上の町や村を訪れた。

日本政策投資銀行の傍士《ほうじ》銑太《せんた》は、フランクフルト事務所の駐在員だった時に、日本人が行ったことのないドイツの小さな村を訪れてみようと思った。

「この村へ来た日本人は、私が初めてですよね？」

人口がわずか数百人という村へ行った時、傍士は村人へそう尋ねた。

「いいや。二十数年前に、日本から若者が来たことがある」

「二十数年前に？」

「そう確かユフインとかいう町からと言っていたよな」

由布院の三人の行動力に、傍士は驚いたという。

三人がいかにきめ細かい調査をしたかということがわかるエピソードだ。


南ドイツの、ドイツ、フランス、スイスと三つの国が重なるあたりの黒い森の麓にあるバーデンヴァイラーという小さな温泉地を、三人がバスで訪れた時のことだ。

バーデンヴァイラーは人口約四千人と、由布院に似た小さな温泉地だった。小さなホテルのオーナーであったグラテヴォルさんの話に、三人は感動した。その感動が、いまの由布院をつくったと言っても過言ではない。

中谷が熱い想いで綴っている。簡単にまとめるとこうだ。

「私たち三人が、ドイツのバーデンヴァイラーという町で受けたあの衝撃を、なんとか由布院の町の人たちにも伝えようと、わけのわからぬ、子供らしいあがきをはじめたのは事実だった。それは今でも続いている。

あの日、グラテヴォルさんは私たちに熱く語ってくれた。

『町にとって最も大切なものは、緑と、空間と、そして静けさだ。その大切なものを創り、育て、守るために、君たちはどれだけの努力をしているのか？　君は？　君は？　君は？』

グラテヴォルさんは、私たち三人を、ひとりずつ指さして詰問するように言った。それで、私たち三人は顔が真っ赤になってしまった」

このグラテヴォルさんの詰問が、三人を奮い立たせた。

七年後、志手、中谷、溝口の三人は、湯布院の町長を先頭に約二十人の仲間とともにドイツを再び訪れた。病床の身ながらも、グラテヴォルさんは待っていてくれた。三人が多くの人たちを連れて町に再びやってきたことに、グラテヴォルさんは大変喜んでくれた。

その時のグラテヴォルさんの話を、中谷はこれまた感動的に書いている。

「君たちは約束を守った。君たちは長い道を歩きはじめた。世界中どこの町でも、何人かの人が、あるいは何十人、何百人かの、決して多くはない人たちが同じ道を歩いている。ひとりでも多くの人が、よその町を見ることが大切だ。そして、その町をつくり、営んでいる〝まじめな魂〟に出会うことが必要だ」

グラテヴォルさんとの出会いについては、溝口も機会がある度によく話をする。

「まちづくりは、ひとりでやっていては孤立する。最低でも、三人は必要だ。まちづくりは、大勢の仲間で進めることが大切だと、私たちはグラテヴォルさんから教わった」

ヨーロッパを見て回った三人が帰国した。三人はまちづくりの道を歩きはじめた。グラテヴォルさんのアドヴァイスどおり、ひとりではなく三人の仲間でそしてみんなで、まちづくりの旗を高く掲げた。

「明日の由布院を考える会」は、「健康温泉地（クアオルト）構想」を作成し町に働きかけた。由布院の原野を守る畜産業を持続させるために、「牛一頭牧場運動」を開始した。農協の婦人部の有志たちが、「地味噌生産運動」を開始した。

三十数年後のドイツの町

「あれから三十数年が過ぎた。今度、バーデンヴァイラーをはじめドイツの田舎の町へ行く。一緒に行かないか」

中谷と溝口から誘いがあった。

三十数年前、由布院の三人の若者たちが出かけたバーデンヴァイラーは、今では、由布院のまちづくりの原点と言われている。

その町を「まちづくりの達人」であるふたりと歩くのも面白いだろう。私はドイツの旅に同伴させてもらった。

年こそ三十数年違え、月は同じ六月だった。ドイツの田舎の町々は新緑が美しい季節だった。谷間の道を通ってバーデンヴァイラーへ入った。

「同じだ。あの時のままだ」

ホテルの前に差しかかった時、溝口が叫んだ。バッグから写真を取り出した。写真を掲げながらホテルの入り口を見た。三十数年前の写真だった。ホテルの入り口で、中谷、溝口とグラテヴォルさんが握手をしていた。玄関のエントランスゲートの形も同じ、飾られている花の色も同じ赤だ。

「何も変わっていない」

溝口は口を閉じて玄関の方を懐かしげに見ていた。

ホテルのオーナーであったグラテヴォルさんは病気ということで、若い夫婦に代わっていた。しかし、建物のほとんどが変わっていなかった。ホテルの内装も大きな変化はなかった。町の中にある緑が少し多くなっている程度だ。町の入り口にある菩提樹の大木が心なしか大きくなっていたらしい。

溝口が菩提樹の写真を撮りながら言った。

「こんなにも徹底して変わっていない現実を前にすると、バーデンヴァイラーの人たちの町に対するプライドというか愛着の深さを感じるよね。美しい景観を育みそれを守ってゆく。考えたら簡単なことなんだが、経済とか効率を優先するどこかの国ではなかなかできないいんだよね」

「緑と空間と静けさが大切だ。グラテヴォルさんはそう言っていた。あの時も、静けさを求めるために、町が深夜と昼下がりの昼寝の時間の車両乗り入れ禁止を決めた。それに対して郡の行政当局から、公共性に反すると裁判に訴えられていた。その裁判に勝ったとか言って、町のみなさんは喜んで興奮していたものな」

町の小さな商店街を歩きながら中谷が言った。商店街は緑に溢れていた。高い建物はひとつもなかった。道は自然の地形に沿って造られているためかアップダウンが多かった。商店が高いところにあったり低いところにあったりする。屋根に芝生が植えられている店もあった。デザインはバラバラであったが不思議に調和が取れていた。

商店のひとつひとつにウィンドウがあった。日が落ちるとともにウィンドウに灯りが点るらしい。店は閉まるけれど、観光客はウィンドウショッピングを愉しみながら散策できる。そのディスプレイは見事なものであった。

町に一軒しかない本屋があった。ウィンドウには、あるひとりの作家の本が何冊も丁寧に飾られていた。バーデンヴァイラーがチェーホフの終焉の地だったことを教えられた。

散策の途中にクアハウスへ寄ってプールに入ることもできる。深い森の木々の間にステージがつくられ、毎日のようにコンサートなどのイベントが催されるらしい。

「三十数年前にこのような温泉地があるのだと知った時、私たちは驚きよりも衝撃というか戸惑ったよね。由布院でこのようなことができるのか。私たちは何からはじめればいいのかなとね」

中谷はウィンドウに灯りが点り始めた商店街を見ていた。

三十数年前の、志手、溝口、中谷は若かった。バーデンヴァイラーのような町を見た三人の若者に戸惑いがあったことは事実だろう。しかし、三人が由布院のまちづくりの方向性を見つけたのも確かなことだったのだろう。

翌日、私は町の背後にある山へ登った。「この町には、いろいろな散策コースがある。専門医がそれぞれの人の体力に合わせたコースのプログラムを作成してくれるんだ。温泉に入るだけでない。これぞ、『健康保養温泉地』と言ってもいいだろうね」

中谷が言っていた。

道は町中と同様に原形を変えずに自然の地形のままだった。階段はなかった。緩やかな道もあれば急勾配の道もあった。舗装されていなかった。木々の間を右に左にと曲がりながら続いていた。

一定の間隔でベンチが置かれていた。展望を愉しむということではなかった。自然の中に包まれてひとときを過ごすという感じだった。新しいベンチではなかった。しかしきれいに清掃され管理されていた。このベンチの位置も、三十数年前と変わっていないのだろう。

展望台へ出た。町を見下ろした。町の建物は木々に覆われて見ることができなかった。バーデンヴァイラーが森に包まれた町だったことを再認識させられた。バーデンヴァイラーのゆたかな自然の風景を眺めながら、中谷と溝口がドイツの旅の最中にいつもつぶやいていた言葉を、私は思い出した。

「農業という生産のカタチがしっかりしている地域は、地域のカタチもやはりしっかりしているんだ」

「この自然と共生しているまちの景観は、百年とか二百年とかの歳月をかけてつくられたんだ」

3．イベントは手づくりで

「ゆふいん音楽祭」「湯布院映画祭」

昭和五十年四月、由布院は大分中部大地震に襲われた。由布院盆地内の旅館やホテルの被害は幸いにも軽いものだった。営業に支障はなかった。しかし、由布院近くの山下の池湖畔の大きなリゾートホテルが一部倒壊した。マスコミはそれだけを大きく取り上げた。

〝由布院は甚大な被害にあった〟〝被害総額は約五十億円だ〟〝由布院は壊滅状態だ〟

そのために、「由布院は観光どころではない」というイメージだけが先行した。

「由布院健在なり」というところを見せなくてはならない。由布院の人たちは、辻馬車を走らせたり、イベントを催したりと、いろいろな企画をたてた。

倒れたホテルで合宿する予定だった九州交響楽団のみなさんへ宿を提供した。

「みなさんの演奏を聴かせて欲しい」

由布院の人たちは頼んだ。「星空の下のコンサート」が催された。それが「ゆふいん音楽祭」のはじまりだ。

由布院は観光客の少ない鄙びた温泉地だった。映画館が一軒もなかった。映画館のない町で映画を見たいと考えた。それが、「湯布院映画祭」のはじまりだ。


それら、由布院のイベントはすべてが手づくりだ。

「イベントは手づくりに限る」

中谷や溝口はじめ由布院の人たちはよく言う。

イベント会社へ頼めば苦労をしなくてもいい。それになにより、立派な内容のものができるはずだ。でも、それには、多額な費用がかかる。民間主導の由布院のイベントには、外部に委託するだけの金がなかった。だから、手づくりでやらざるをえなかった。

それが良かった。手づくりイベントのノウハウを、自分たちのものにすることができた。

バブルがはじけてから、全国のあちらこちらで開催されていた大企業や行政主導のイベントのほとんどが中止されている。

「牛喰い絶叫大会」「ゆふいん音楽祭」「湯布院映画祭」はじめ由布院の多くのイベントは、今でも継続されている。それどころか、「ゆふいん文化・記録映画祭」「ゆふいんこども映画祭」「ゆふいんこども音楽祭」など、新しいイベントさえ生まれている。その理由はわかっている。由布院のイベントが手づくりだからだ。


由布院の人たちは、どのような苦労をして、イベントを運営しているのだろうか。映画祭や音楽祭は、やがて三十年になろうとしている。多くのハプニングや失敗に翻弄されたこともある。

音楽祭は福万山《ふくまやま》の麓にあるゴルフ場のクラブハウスでも催される。防音装置などない。雨が降れば雨音がせわしなく聞こえてくる。スタッフたちは演奏者へすまないと肩身が狭くなる。

「風情があっていいじゃないですか。チェンバロの音に合いますよ」

チェンバロ奏者の小林道夫が慰めてくれる。しかし、雨が降り止むと、蟬が一斉に鳴き始める。そうなると、小林も演奏を中止して聴衆へただ微笑むだけとなるのだ。

ハプニングはまだある。音楽祭の実行委員長である加藤昌邦がその苦労を書いている。演奏家のほとんどは東京や大阪などから来る。大分空港に出迎えるということになる。その迎えに行く予定時間を勘違いして、演奏家を二時間も空港で待ちぼうけにさせたこともあったらしい。待ちぼうけは謝れば済むからいい。

問題は演奏家の見送りである。多くの演奏家には、次の「演奏会」の予定が入っている場合が多い。でも、演奏家という人たちは、そのことに無頓着な傾向にある。実行委員たちが、それぞれの演奏家の予定などに気配りをしていても間違いが起きる。

演奏家を東京便の飛行機に乗せるためのバスに、加藤は送る役として添乗しようとした。確認するために、加藤はバスの車内の演奏家のひとりひとりを見渡した。なんと大阪便の飛行機に乗らなければならない演奏家が、何喰わぬ顔でシートに座っていた。大阪便のためのバスは既に出ていた。東京便のためのバスでは、到底、大阪便の飛行機には間に合わない。

加藤は迷わず演奏家を自分の車へ乗せた。航空会社に飛行機を待たせるように頼んだ。無理だと断られるのがわかっていても頼む。ここが、由布院のイベント実行委員の勇気あるというか厚かましいところだ。

それでも、どうやらこうやら、空港へは離陸時間の三分前に着いた。ギックリ腰を忘れて走った加藤に、その演奏家はひとこと言ったらしい。

「ドラマチックでしたわね」

映画祭でのハプニングも書いたらきりがない。これも、映画祭の事務局長をしていた横田から聞いた話だ。

「中央公民館が、突然に、停電したことがあるんだ」

停電とは……、映写機が回せないではないか。土曜日の夕方だ。映画祭でも一番盛り上がる時だ。上映していた映画が終了したと同時の停電だった。不幸中の幸いと喜んでもいられない。次の映画の上映ができない。

監督を交えてのシンポジウムが始まった。マイクが使えない。冷房が入らない。灯りがつかない。でも、司会者、監督、俳優のゲストたちは声をしぼるように叫びながらがんばってくれていた。夕食タイムを入れても、余裕は二時間あまりしかなかった。

周辺を見渡すと、電気が点いている。停電は中央公民館だけだった。公民館の水道管の長年の漏水により電気がショートしたのだ。電気業者がすぐに呼ばれた。早急に修理をしてみよう。電気業者はそう言ってくれた。しかし、修理の終わる時間はわからなかった。

実行委員たちは決断した。道路の向こうにあるコミュニティーセンターのホールで、次の映画を上映することにした。重たい映写機をみんなで担いで移動した。中央公民館の冷房の効いていない暗いロビーでは、次の上映を待つ観客たちが並んでいた。デパートに勤めている実行委員が、バーゲン整理の手腕を生かして、観客たちへの説明と列の移動のお願いをした。

電気の復旧は上映予定時間の三十分過ぎだろうとの目処がついた。コミュニティーセンターの定員は百五十名、中央公民館は三百名だ。多くの観客たちが待っている。実行委員たちの判断はすばやかった。

「映写機を中央公民館へ戻せ！」

重たい映写機の再移動が始まった。観客たちも移動した。誰も文句を言わない。すべての準備は終わった。暗いロビーの中、観客たちは黙って待っていた。実行委員たちの顔は青ざめていた。

突然、灯りが点いた。冷房の冷たい空気が流れてきた。大きな歓声が沸き上がった。ひとつ、ふたつ、みっつ……そして大きな拍手へと変わっていった。実行委員が叫んだ。

「おまたせしました。今から上映を始めます。どうぞお入り下さい」


イベントは、スタッフたちの夢でもある。だから、少しの苦労なら我慢して、より素晴らしいイベントにしたい。そういう熱い想いが、多くの人たちの共感を呼ぶイベントを育んできた。ただ、少しの苦労ではなく、大きな苦労ばかりの連続だったことが、彼らの思惑とは少しはずれているのだが……。

横田が次のようなことも語ってくれた。

「〝継続は力なり〟という言葉ではなく、あるいは、〝まちづくりのアリバイ証明〟のためでもなく、ましてや〝日本映画のため〟でもなく、たまたま映画ファンであった私たちが真剣に遊び続けるために映画祭はある」

なんとさわやかな想いではないだろうか。その「遊び心」が、由布院のイベントをいつも新鮮なものにして、観客たちに喜ばれているのだ。

お客が喜んでくれるイベントをやりとげた瞬間の喜びを味わいたい。それが彼らの願いなのだ。私にはそう思えてならない。そのためにも、イベントは手づくりでなければならないのだ。

由布院のあるひとつのイベントが終わる。ゲストを見送った瞬間から、スタッフたちは来年のイベントへ向けて走り出している。音楽祭と映画祭、ふたつの小さなイベントも、由布院の「小さな奇跡」であろう。

「牛喰い絶叫大会」

由布院の人たちは、「農業」というものにもこだわってきた。由布院が他の観光地と違うところは、「自然」と「農業」とに常に関わってきているということだ。だから、農村という風景を大切にしたいと考えてきた。

農村の風景を大切にしたい。それなのに、湯布院町の町有地である原野に、レジャー施設などが造られようとしたことがあった。

「由布院の原野を守るためにはどうしたらいいのだろうか」

みんなで考え悩んだ。中谷、溝口、志手の脳裏には、旅をしたヨーロッパの美しい草原が浮かんだ。さわやかな風が吹く草原で草を喰っていた牛や羊たちの姿を思い出した。

しかし、外国産の安い肉の輸入などによる畜産業の将来に対する不安から、当時の由布院の畜産農家は減少していた。牛そのものの数が減少していた。それに、由布院では、畜産業ばかりか、本来の農業自体が、減反政策や後継者不足ということで、大きな危機を迎えていた。


由布院の畜産農家と原野を守るにはどうすればいいのだろう。外国産の輸入肉に対抗するにはどうしたらいいのだろう。

安全でおいしい確かな牛肉を生産するしかない。由布院の原野で、そのように牛を育て都会の人に味わってもらえばいい。そうすることにより、由布院らしい景観である原野を守ることができる。そこまでは考えることができた。

だが、廃業しようと考えている畜産農家の人たちには、牛を購入する資金がなかった。そこで、中谷はじめ由布院の人たちは考えた。

都会の人たちに、金を出資してもらい、牛一頭の牧場主になってもらおうというものだ。その牛を、由布院の畜産農家の人たちが育てる。五年後に成牛になった元牛の利益を還元するのだ。それとともに、毎年、利子の代わりに一俵の米を、農家は都会の人たちへ送るようにする。それが、「牛一頭牧場運動」という運動だ。

由布院の人たちは、そこで終わりとはしなかった。それだけでは、農産物の宅配による原野保存運動で終わってしまう。

その運動を機会に、都会の人たちに由布院の良さを知ってもらおう。原野というか草原の素晴らしさを肌で感じてもらおう。そして、都市と農村の交流を図り、由布院の農業の「安心」「安全」という確かさを知ってもらおうと考えた。

そういうことで、年に一度、牛が草を喰っている原野で、焼き肉パーティーを催そうということになった。

そうなると、由布院の人たちの気持ちはより盛り上がる。それが田舎の道化的な明るさだ。原野で肉を食べるだけでは、バーベキューと同じで面白くない。田舎らしいイベントをやろう。

中谷は言っている。

「田舎では、ものをつくる能力も手つかずなら、ものを使う能力も手つかずに残っている。『牛喰い絶叫大会』なんか、どこで喰っても同じ肉なのに、山へ行って叫んで喰うと格別においしい。そういうスタイルを編み出して、特別な意味を加えれば、人をしてつくづく幸せと感じてもらえる。しかし、それをやる人は少ない」

由布院の人たちは仕掛け上手だ。マスコミに受ける「アッ」と驚くイベントをやろう。すると、由布院の原野の美しさを、由布院の牛肉の確かさとおいしさを、マスコミは全国に報道してくれるはずだと考えた。

人間が生きていくこの世の中、不平不満なことが多い。その思いの丈を叫んでもらおうではないか。その声の大きさを、その内容の面白さを、参加者に競ってもらうことにした。

それが「牛喰い絶叫大会」というイベントだ。

「まみちゃん、僕と結婚をしてくれ〜ッ！」

「社長、父ちゃんの給料をあげてくれ〜ッ！」

個人的な叫びだけではなかった。

「小泉さん、年金をしっかりやってくれ〜ッ！」

「ブッシュ大統領、戦争だけはやめてくれ〜ッ！」

回を重ねるにつれて、世相を反映した叫びも多く含まれるようになっていった。すると、マスコミは、「牛喰い絶叫大会」を積極的に取り上げるようになった。そして、現在では、毎年、秋の風物詩のひとつとして、新聞やテレビで報道されている。中谷や溝口の思惑どおりに、ことは運んだといってもいいだろう。それになにより、都会の人たちに、原野を守るという由布院の人たちの想いを共有してもらうことができた。

先年の狂牛病騒動の時にも、「牛喰い絶叫大会」は開催された。由布院の人たちは観光客が来ないのではないかと危惧した。

当日、観光客は大勢来た。来るはずだ。守られた原野で育てられた「安全」「安心」でおいしい牛の肉だということを、観光客は知っていた。

由布院でできたものを由布院で味わう。その「地産地消」とは、地元のものを地元で消費するということだけではない。地元の農村というひとつの風景を大切に守りながら、町の内外の人たちと愉しく生きていく。それも、「地産地消」ということだ。

それは、現在、よく言われている「スローフード」ということでもある。由布院のまちづくりの原点である由布院の原野を守るという「牛一頭牧場運動」は、「スローフード運動」のはじまりだったのだ。由布院という田舎ならではの「小さな奇跡」と言ってもいいだろう。

4．小さな由布院がやってきたこと

まずは地域ありき

由布院をゆたかな町にしたい。

そう考えた時、由布院の人たちは、由布院を観光客が大勢来るにぎやかな町にしようとは考えなかった。

当時の由布院は、「町誌・湯布院」によると、「湯布院町が誕生した頃までは、町は農林業を主とした鄙びた一寒村にしか過ぎなく、湧出量の豊富な温泉に恵まれた自然美を有する観光未開発地であった」となっている。

その農業は小規模で効率が悪かった。駅前の商店街は寂れていた。プロローグでも述べたように、温泉に恵まれていても、観光客の少ない鄙びたただの田舎だった。

そこで、由布院という地域を、とりあえずゆたかにしていこう。農業、商業、観光業などで生計が立てていける町にしよう。由布院の人たちは、まず考えた。観光地としてのまちづくりではなく、由布院という地域そのものを良くしていこうと考えたのだ。

地域が良くならなくては生きていくことができない。

そして、地域があってこそ観光業は成り立つ。溝口がよく言うことだ。

「地域というものがあってこそ、旅館業は成り立つのだ。由布院という町が良くならなければ、私たちの旅館業も良くならない。旅館業だけが良くなる。そのようなことは絶対にありえない。また、あってはならない。地域があってこそ、私たち旅館業は生きていける。そう、はじめに由布院という地域ありきなのだ。『観光』ではなく、まず『地域』ということだ。そういう想いで、由布院の人たち、みんなでがんばってきたのだ」

由布院のまちづくりを考える時に、私はいつも思う。若い人たちの姿が目立つということだ。それも、町の内外を問わずいろいろな分野の人たちが集まっている。

由布院駅のアートホールで催されたフォーラムでのことだ。

由布院の四人の若者が、問題を提示しながらプレゼンテーションをした。旅館「山荘田名加」の若主人の田中聖次、旅館「草庵秋桜《そうあんこすもす》」の料理長の新江憲一、「アトリエとき」の木工職人の荒木衆、町役場職員の近藤信と、みんな、若い人たちだ。

観光に関するフォーラムだった。それにもかかわらず、観光に関する話は少なかった。由布院の地域性を考えながら、由布院の人たちとともに、由布院という地域をより良くしたい。彼らは地域に対する彼らの想いを熱く語った。

「観光という前に、まず由布院という地域を素晴らしいまちにしたい」

中谷や溝口たちが考えてきたことを、由布院の若者たちはしっかりと受け継いでいた。

そのフォーラムでは、続いて、JR九州会長、運輸省（現国土交通省）元観光部長、湯布院町長、そして中谷をパネラーにいろいろな議論がなされた。

最後のまとめの発言の際に、中谷はズバリと言った。

「『観光学』というのは、つまるところ『地域学』なんだよな」

中谷の言葉を受け、コーディネーターの後藤靖子（都市観光を創る会幹事）は言った。

「そうですね。素晴らしい地域をつくるということは、そのことが素晴らしい観光地をつくるということなのですよね」

観光の前に、まず地域ありきだ。だから、みんなで、がんばることができる。みんなで、助け合うことができる。そして、由布院という町がひとつになれるのだ。

最近、全国の観光地の大きなホテルや旅館へ行くと、私はうんざりする。ホテルの中にすべてのものがあるからだ。レストラン、土産売り場、スナック、はてはカラオケボックスやゲームセンターまで付随している。ホテルというよりも、レジャーセンターだ。あちらがするならこちらもと、それぞれのホテルが囲い込みをはじめる。ホテルの中で、すべてが完結するから、宿泊客もこれは便利だと思い、ホテルの中で愉しむ。

ホテルがすべてを囲い込むと、ホテルとホテル周辺の店やレストランなどとの溝は深くなっていく。宿泊客と町の人たちとのふれあう機会が少なくなる。宿泊客は知らないうちに旅の喜びを放棄していることになる。

由布院では違った。旅館やホテルだけでなく、町全体で由布院を訪れた客をもてなそうと考えた。由布院の旅館やホテルそして地元の商店街の店やレストランなど、それぞれが小さい。小さいもの同士つながらなくては大きくなれないのだ。

それに、由布院は狭い盆地ゆえにパブリックスペースが少なかった。憩いの場所が少なかった。そこで、旅館やホテルは土産売り場や喫茶店やレストランなどを囲い込むとなく小さいながらも開放し、客が憩いながら買い物や食事ができるように努力してきた。それとともに、旅館やホテルそして地元の店やレストランが互いを紹介し始めた。

「その木製の器はどこそこの旅館の土産売り場に、そのケーキはあの通りのケーキ店で売っていますよ。昼食は小川の近くにある蕎麦屋さんがおいしいですよ」

旅館やホテルの宿泊客が互に行き来するようになるとともに、宿泊客が町の中を散策して地元の店やレストランへ行くようになった。溝口は言っている。

「旅館やホテルが囲い込みをしないと宿泊客が町の中を回遊するようになる。町の人たちとふれあう機会が多くなる。その時に、町の人たちが客へ声をかけるやさしさがあるか、親切であるかということが大切になる。由布院では観光業だけでなく地域の人たちと一緒になって頑張ってきた。地域をつくるというのはそのようなことかもしれない」

由布院ホテル

「ゆふいんの森」号が由布院駅の一番ホーム へ到着する。降りた観光客はホームを見て驚く。ホームの端に「足湯」がある。由布院へ着いた。まずは座り続けで疲れた足を癒してもらおう。そういうことだ。

「これが由布院スタイルというものか」

そう思いながら改札口へ近づいて、観光客はまた驚く。改札口がない。コンコースとホームの間に何もない。冬になるとガラスのドアが一枚入るが、世間一般でいう改札口がない。オープンラッチと言うらしい。駅員が改札をする「ラッチ」と呼ばれる仕切りがない。他の駅にはない由布院らしい開放感を、観光客は満喫することができるのだ。

駅のコンコースもシンプルだ。天井を見上げるとガラス窓だけだ。一般的な駅の改札口の上に掲げられている時刻表の表示板などはない。青い空と白い雲が見えるだけだ。駅全体の色が黒で統一されているためか、すっきりした風情を醸し出している。

コンコースの床には圧力温泉管が埋設されていて、冬には高温の温泉を通して床暖房をしている。温泉の総湧出量が、全国第二位の温泉地である由布院らしい駅だ。

コンコースの左にはアートホールがある。美術館もどきではない。美術館そのものだ。展示品は、ひと月ごとに変わる。時には写真であったり、時には絵画であったり、時にはダンボールで作ったふくろうの人形だったりする。一年間の展示予定がびっしりと詰まっている。そのホールの中央に置かれたテーブルの周囲では、観光客たちが休んでいる。地元の人たちも時には憩うこともある。旅の話がはずみ気持ちがなごんでくる。

「まるでホテルのロビーのようだね」

由布院を案内した時、友人から言われた。

ホテルのロビーのようだね。そうかもしれない。切符を売るカウンターもホテルのフロントのように低くオープンになっている。駅員も観光について尋ねられると、観光案内をついしてしまうらしい。

駅本来の電車の「乗り降りの場」というよりも、観光客と地元の人たちが「交流をする場」となっている。それは、ホテルのロビーといってもおかしくない。

その由布院駅が、平成十五年三月、男性トイレを撤去した。今まであった男性トイレをも含めて女性専用トイレにした。由布院駅を利用する利用客の八割は女性だ。電車の発着時には、女性トイレの前に長い列のできる時が少なくなかった。そこで、全国の駅でも珍しい女性専用のトイレとなった。

おむつ交換台やベビーチェアが設置されている。川のせせらぎ音が流れる装置までもある。清潔感を出すために白を基調とし、北欧産の輸入材などを壁に使っている。由布院らしいといえば由布院らしい。

それでは男性はどうすればいいのだ。駅から二十メートル少し離れたところにある町立の公衆トイレを使って欲しいとのことだ。

由布院の駅前では、温泉地でよく見られるタクシーの運転手による客引きがない。こう書くと当たり前のように思われるが、「客引きの排除」にはかなりの苦労があった。駅に着いた客を強引にタクシーへ乗せ契約をしているホテルや旅館へ勧誘する。それもひとつの営業努力かもしれない。しかし、町のイメージを壊す最たるものだった。

「苦労しました。でも、旅館やタクシーの客引きを排除しなければ、由布院は良くならないとの想いで、それは真剣に取り組んできました」

由布院の人たちは厳しい顔で語る。旅館やタクシーなどの関係者との地道な話し合いがあったに違いない。

そして、現在、駅前へ出ると、客引きの姿は見えない。タクシーの列が整然と並んでいるだけだ。

由布院の旅館やホテルでは、原則として宿泊客の送り迎えをしないことにしている。

駅を降りた宿泊客は、タクシーを使うか歩くということになる。だから、客引きということをしてくれるな。由布院のイメージを大切にしていこう。それも、「客引きの排除」のひとつの取り決めだったのだろう。でも、旅館業とタクシー業との共存共栄というか、今はやりの言葉なら共生ということができた。

そうなると、タクシーの運転手は、宿泊客にとって由布院でのはじめてのおもてなしの人になる。由布院の第一印象を与える人になる。運転手の責任は重たくなる。

運転手は、ホテルマンを思わせる制服を着るようになった。「お疲れ様でした」との言葉をひとつかけて、笑顔で観光客を迎える。そして、目的の旅館やホテルまでお客を安全に運ぶのである。

それになにより、運転手が駅前広場の掃除を自主的にするようになった。駅前だけではない。環境美化ボランティアとして、町内の空き缶拾いを年に二回行っている。五十五人の運転手が参加して、三日間で、空き缶などが軽トラック三台分も集められたこともある。

そしてお客だけでなく、タクシーは駅やバス停留所から宿泊する旅館やホテルへ荷物だけでも運んでくれる。「ゆふいんチッキ」との愛称で呼ばれている。観光客は身軽になって、駅から旅館やホテルまでの由布院の散策を愉しむことができる。さらに、その手荷物駅前カウンターでは、なんと、ベビーカーや車椅子までも用意されているというから驚かされる。

だから、観光客は由布院駅を降りた瞬間、ドアボーイのような駅員に迎えられる。ホテルマンのようなタクシーの運転手に旅館やホテルの玄関口まで案内されるか、荷物だけを運んでもらうかを選択することができる。そして、由布院というひとつのホテルに迎えられた気分になれるのだ。

第四章
由布院へ来た人たち

1．本多博士の提言

新しいものを受け入れる

由布院は寒暖の差の激しい盆地だ。年間の降水量が二千ミリを越える年もあるという雨の多い地域でもある。雨が多いということは、水害がよく起きる。つまり、由布院は人が住みやすいとはいい難い土地であったことは確かだ。

でも、古来より由布院に村人たちは住んできた。自分たちの村を良くしたい。自分たちの生活をより良くしてゆたかに生きていきたい。村人たちには、そんな想いがあったはずだ。

江戸時代の初め、由布院に二千百人ほどの村人たちが住んでいた。その中に千人以上のキリシタンがいたらしい。盆地には聖ミゲル教会がつくられ、由布岳の山頂には十字架が建てられていた。教会の鐘が盆地に響き渡る。十字架が夕陽に輝く。黄昏時の神々しく美しかったであろう由布院の光景が想像される。

村民の半数がキリシタンだった。由布院の村人たちには新しいものを受け入れる素養が、昔からあったということだ。「より良いところで暮らしていきたい」と言う村人たちの気持ちが、現在の由布院のまちづくりにつながっているといってもいいだろう。

大正時代の由布院はどうだったのだろうか。

山間部の由布院でも、近代交通機関が着々と整備されていた。大分から由布院までの鉄道は、「久大線の一部の大湯《だいとう》線」が延長されて、大正十四年に開通していた。大分、湯平、由布院とを結ぶ鉄道であった。

別府と由布院とをつなぐ道「別府街道」は、大正二年に開通していた。由布院でつくられた米を馬車で消費地の別府へ運ぶ道であった。曲がりくねった山道であった。雨が降れば土砂崩れなどがあり、すぐに通行不可能となった。

そのような道を、車で、別府から由布院へ来た人がいた。第一章で述べた油屋熊八だ。

農村ののどかな雰囲気を漂わせた自然ゆたかな由布院の素晴らしい風景に、油屋は感嘆した。油屋は金鱗湖の傍に別荘をつくった。その頃から、由布院は「別府の奥座敷」

と呼ばれるようになった。旅館も次から次へと造られ、観光地としての由布院の姿が少しずつ見えはじめようとしていた。

別府温泉を目当てに泊まった著名人たちを、油屋が由布院へ招いていた。高松宮殿下、徳川頼倫《よりみち》侯爵、犬養毅、北原白秋、菊池寛、武者小路実篤、高浜虚子、アメリカからの観光団など多くの人たちが、鄙びた由布院を満喫していた。

「由布院とはそれほどに魅力があるところなのか。この由布院の村を、自分たちはどのようにしていけばいいのか」

当時の村人たちは由布院の新しい魅力に戸惑っていた。由布院にも訪れようとした近代化の波に驚き、それらへの対処の仕方に悩んでいた。

そのような時、由布院にひとりの男がやって来た。

ドイツ留学で「ドクトル」の称号を得たわが国最初の林学博士である本多静六という人だ。大正十三年十月十一日に、棉陰《めんいん》尋常高等小学校の講堂において、本多は「由布院温泉発展策」との題で講演をしている。講堂はあふれんばかりの聴衆で埋まったらしい。

わずか一泊の滞在にも拘わらず、本多の講演内容は、由布院にとって多くの示唆に富む些細なことにまで及んでいる。

新しいものに拒否反応を示すことのない由布院の村人たちは興奮したはずである。そして、由布院の将来像として「健康保養温泉地」としての姿を思い描いたはずだ。


「由布院温泉発展策」


本多博士の講演「由布院温泉発展策」について語る前に、本多博士とはどのような人なのかについて述べておきたい。

本多は明治の足音がする慶応二（一八六六）年に埼玉県菖蒲町に生まれた。東京農林学校（現在の東京大学農学部）を卒業後、ドイツへ留学をした。ミュンヘン大学でドクトルの学位を取得した。

帰国後、日本で最初の林学博士となった。林業方面の貢献だけでなく、本多は現在でいうマルチオピニオンリーダーとして多方面でさまざまな活躍をしている。

維新後の近代国家を目指す明治政府へ「パブリックスペース」の必要性を唱えて、公営公園の建設に奔走した。鶴ヶ城公園、偕楽園、懐古園、日比谷公園はじめ多くの公園の設計建設に、本多は携わった。それとともに、明治神宮の森の造営、鉄道防雪林や水源林の設置などにも関わり、森林の多方面での活用の必要性を広めている。

また、国立公園の創設に力を入れ、「自然に囲まれて生きることの大切さ」を、本多は各地で講演をし、その地域に即した多くの示唆に富む提言をしている。

そのひとつの場所が由布院であったのだろう。

本多の講演した「由布院温泉発展策」とはどのようなものなのか。

これからの生活の基本は「独立自彊《じきょう》」であると、本多は語りはじめている。そのためには、金、名誉、教育などよりも健康であることが大切である。健康のためには、「野外生活」「野外運動」が最もいい。文明社会の発展は、人の気持ちをすさんだものにした。そこで、人々は自然ゆたかな山や水の風景にふれることを望むようになった。

ドイツのバーデンバーデンは「森の中にまちがある」、そんな様相の温泉町だと紹介し、由布院もこれからは多種多様なる木を町内のあちらこちらに植えて、「森林公園の中にまちがある」ようにすべきだと提言している。

風景はシンプルであってはいけない。マツ、スギ、ヒノキなどの樹木の間に広葉樹を植えるべきだ。それも、自然に生えたように植えるのがポイントである。原則として、道路と建物以外は、すべて人の手を加えたことを見せないようにしなければならない。

人の歩く道は一定の幅にする必要はない。場所によっては、勾配は多少あっても差支えないのでなるべく道を曲げて、向こうが見えないように、いろいろな木を植える。道は蛇行させるのが原則である。新たに道をつくる時に、良好な風景を形成する樹木が植えられていたら、決して伐採してはいけない。その樹木を避けて道をつくればいい。

そして、前論の最後では、フランスのルソーの言葉を借りて、森林公園の基本を語っている。

「自然のなせるものはすべて美しい。人の手により腐敗する」

本論では、本多は由布院について具体的な方策を語っている。

由布院への交通機関は、今後、自動車や鉄道が主となるだろう。観光客が多くなる。すでに有名な温泉地である別府とはネットワークをきちんと構築する必要がある。

由布院内の道路整備については、現代のモータリゼーションの到来を予測しているかのように、本多は次のようにきめの細かい提言をしている。

「由布院内の道路整備について述べる。自動車道として、町を循環する『大回遊道路』をつくる。道の両側には、柿の木を植えて街路樹とする。そうすれば、日よけと風致になる。柿はどこにでもある。盗むものもいない。実が大きくなる渋柿を植えて、それを加工することにより由布院の名物ができる。町の名物の研究開発にはいつも努めよう。歩行者が自由に散策できる『中回遊道路』もつくる。大回遊道路と中回遊道路の間を連絡する『小回遊道路』をもつくり、名所旧跡をネットワーク化するとともに、町の人のための生活便宜を図る道路とする」

これなどは、現在の由布院が抱えている交通問題を解消できる提言となっている。

金鱗湖については、水が透き通り、綺麗で風光明媚な湖である。しかし、既存の設備には、感心できない点がいくつかあり、大幅に改良する必要がある。それら周辺の諸設備などについては、十分な調査をしてから決定して欲しい。金鱗湖は由布院の平坦部のシンボルとなる風景だから、完全な設計ができるまではいたずらに手をつけない方がいい。現在の由布院の人たちには、耳の痛い提言だ。

そして、提言はもっと具体的になる。

温泉の流れる川、温泉プール、サクラの名所、子供のための運動場などを、どこそこにつくれ。町内における外観の汚い建物は、木々を植えて隠すべきだ。田畑の美化を図るために、蓮や菊を道の傍に集めると、ひとつの美しい景観となる。

本論の最後では、由布院の温泉宿について、本多は現在に通じる細かい提言をしている。

「共同湯、家族湯などにおいては、湯と水を調整して、湯の熱さを加減できるようにする。洗面場は別に設ける。将来は居室と食堂を別にして、食堂においては、定食と一品料理の注文に応じる。つまり、部屋代と食事代を別にする。各部屋は、内外より戸締まりができるようにする（中略）温泉へ入り飲食して寝るという従来の温泉旅行に代えて、入浴は朝夕二回程度にし、『郊外運動などができるようにして、健康第一の文化生活にふさわしい由布院』となるよう、新しい発想のもとにいろいろな施設を整備する。

以上、未熟なる私のわずか一日間の調査による意見が、由布院温泉の発展並びに由布院の文化生活の向上に寄与することができたら、私の大いなる光栄とし感謝するところである」

そして今、この本多の提言した「由布院温泉発展策」が、由布院の若者たちに読まれはじめている。

「自分たちは何もやってきていない。この講演を聴いて、『健康保養温泉地』を目指した大正時代の先人たちの想いをきちんと引き継いでいかなくてはいけない。現状を嘆いている時ではない。提言されたひとつひとつのことを今一度考え実行していこう」

由布院の若者たちは、今、改めて、本多の「由布院温泉発展策」の実現に向かってがんばっている。

2．外から来た人たち

由布院の料理人　新江憲一

由布院のまちづくりは、由布院の人たちだけでやっているのではない。由布院の町の外から来た人たちの力によるところも大きい。由布院をよく訪れて助言する人もいる。由布院に移り住んだ人もいる。それを、中谷や溝口は「由布院は『企業誘致』ではなく『人材誘致』でやってきました」とよく言っている。そして、彼らは彼らなりの個性を生かして新しい「由布院らしさ」をつくろうとしている。

料理人の新江憲一もそのひとりだ。福岡生まれの新江は、大阪、京都、東京で働き、平成八年に由布院に来て「草庵秋桜」の料理長を務めるようになった。

私がはじめて新江を知ったのは、由布院駅で催された「観光フォーラム」でのことだ。

新江は、由布院らしい料理をつくることの大切さについて意見発表をしていた。

「由布院でつくった旬のものを、由布院に来たお客様へ提供したい」

新江は農家の主である江藤雄三にいろいろな野菜をつくって欲しいとお願いをした。江藤から無理だと断られた。新江は、一年半、江藤の説得に努めた。新江の粘りが効を奏した。畑でつくったすべての野菜を新江が買うという条件で、江藤は承諾してくれた。

冬野菜、春野菜と、由布院の旬のおいしい野菜を、新江は提供することができた。夏になった。江藤から、トマトやきゅうりが届けられた。新鮮なモノを出すことができると、新江は喜んだ。でも、それが毎朝となると、新江だけでは使いきれない。夏野菜は、毎日、毎日採れるのだ。毎朝、江藤から多量の夏野菜は届けられた。新江は困った。旅館やホテルの料理人の仲間たちに使ってもらうように、新江は頼んで回った。それで、なんとか使いきることができた。野菜というものを、旬というものを、つくり使うことの大変さを、新江は知らされた。

でも、そのことにより、新江は由布院の料理人同士のネットワークをつくることができた。そして、新江を中心に、「ゆふいん料理研究会」を立ち上げた。料理人同士いろいろな悩みを相談できるようになった。みんなで、いろいろなことに挑戦するようになった。現在の会員数は、約七十名となっている。

研究会のメンバーには、各々の宿の仕事がある。メンバーの集まることができる時間は、本業が終わってからの午後九時過ぎだ。週に一度の「料理勉強会」と月に一度の「料理研究会」は、深夜の一時や二時にまで及ぶこともある。

お互いの宿のレシピを公開し合う。最近、由布院に連泊する客が多くなっている。由布院の料理人は、お互いの宿のレシピを知っている。前泊がどこそこの旅館だとわかると、それとは違った料理を出すことができる。多くのレシピを知っているということは、多様な客へ多様な対応ができることでもある。

また、ある素材をテーマにして料理のアイディアを披露しあうこともある。たとえば、今回は「なすび」がテーマとしよう。なすびのマーボ豆腐、なすび素麺、なすびクリームなどとユニークな料理が登場する。由布院らしい新しいおいしい料理のレシピが増えるということだ。

あるホテルの女将から、「草庵秋桜」の主である太田正美へ、新江を借りたいとの申し出があった。そのホテルの新しいメニューを、新江に考案して欲しいとのことだった。最初、太田も新江も困惑した。でも、「ゆふいん料理研究会」を立ち上げた新江だ。新しい試みだが、由布院全体のためになる。

中谷が言っている。

「これまでの考え方だと、宿のオーナーは嫌がる。今の由布院では、『料理長が他所《よそ》に出向くからこそ、ウチの料理にも磨きがかかるんだ』という認識になっている。そういう発想が由布院の力になっている」

ホテルの女将の願いというか想いがわかってきた。太田も新江も了解をした。

「草庵秋桜」のその日の仕込みを終えた昼過ぎ、新江は、毎日、そのホテルへ通った。

ホテルの客はフロントで受付を済ませて、部屋でくつろぎ、露天風呂に入って、それから食事をする。つまり、ホテルの客の雰囲気を肌で感じて、それに合わせた料理を、新江はつくりたかった。

新江が他のホテルの新しいメニューを考える。新江のその体験は、「ゆふいん料理研究会」の存在とともに、由布院全体の料理の底あげにつながることは確かだ。

「料理人は料理は自分のものと考えがちになる。料理はお客様のためにある。料理は食べる人があってこそ料理なのだ。料理人はそのことを忘れてはいけない」

新江がよく言うことだ。

新江たちの活動は由布院の中だけではない。JR九州の特急「ゆふいんの森」号の車内弁当を考案している。その「ゆふいんの森弁当」も、もちろん食材の八割は由布院で採れた野菜などを使っている。由布院の農家にいくばくかの現金収入があるということだ。

「地元の農家の人たちが喜んでくれる。そこが嬉しいよね」

ここでも、新江たちは由布院の農家とつながっている。

新江が面白いことを言っていた。

「この車内で売っている弁当のおかずをね、それぞれの皿にひとつひとつ取り分けると、ちゃんとした会席料理になるのですよ」

なるほど、そこまでこだわっているのか。私は唸ってしまった。

そして、隣の湯平温泉にまでも足を延ばして、新江は、料理指導や、まちの拠点づくりにがんばっている若者たちを応援している。

「料理のテクニックではなく想いを伝えていきたい。料理のテクニックはがんばれば誰にでも覚えられる。想いというものはそう簡単にはいかない。何のために、誰のために、料理をつくるのかという想いを伝えていきたい」

料理もそうだが、みんなで、由布院を、より由布院らしい、より素晴らしいまちにしたい。それも、また、新江の想いなのである。

その新江が平成十六年の暮れに、ヨーロッパへと旅立った。今度はヨーロッパで料理の仕事に勤しむという。新江が「想い」を深めて、由布院にふたたび戻ってくる日を、由布院の人たちは待っている。

心やさしき職人　時松辰夫

「この花鉢はどうやってつくったのだろう」

湯布院映画祭が催されていた中央公民館のロビーに、時松辰夫のつくったクヌギの木の花鉢が飾られた時、私は驚いた。

「時松さんのつくられた花鉢は、長い間使っていると、いつかは腐って土に戻る。そして、土の栄養分となる。自然環境にやさしいのだ。そこがとてもいい。そこがとても嬉しい」

中谷が嬉しそうに言った。傍らで、時松は微笑んでいた。花鉢をつくる工程にはかなりむずかしい技術が必要だったろう。それを、時松は感じさせない。

「アトリエときデザイン研究所」のオーナーである時松は、大分県日田市、岩手県などを経て、平成三年に由布院に移り住んだ。

由布院盆地の中央に位置する広葉樹の林の中に、時松のアトリエはある。その自然ゆたかな林が、時松のやさしき人間性を教えてくれる。時松は、由布院に来るまでは、北海道や東北で、木工の指導者として活躍していた。

時松は寡黙だ。あまり多くを語らない。「アトリエとき」の中にある売店で会っても、時松は静かに微笑むだけだ。でも、時松の胸の内に秘めた想いには深いものがある。

その時松の想いのひとつに「百樹百品」ということがある。百種類の木があれば、百とおりの作品ができるということだ。

「山は雑木の混植林でなければいけない。雑木はすべて役に立てなければいけない。役に立つものはすべて対価を得なければいけない」

時松の木に対する慈しみの深さは、時松の作品を見れば十分に窺い知れる。時松の口数は少ないが、時松の木工製品はおしゃべりだ。いろいろなことを私たちに語ってくれる。

そのひとつがクヌギという木だ。

昔、クヌギは、田舎の生活燃料としての薪や炭になった。里山の風景をつくるひとつの大きな要素にもなっていた。大分県が全国一の生産量を誇る椎茸の原木としても利用されていた。そのクヌギの原木が、中国から安く入るようになった。経済性から、効率性から、人々はクヌギ山を放置しはじめた。時松はそれが悔しいと言う。

時松はクヌギの利用を説いた。でも、クヌギの木はもろい。乾燥途中に狂ってくる。だから、建築材料や木工製品の材料として使うには、かなり難しい。

「乾燥技術を高めれば、表面処理を十分に施せば、クヌギは木工品として加工できる」

現在、「アトリエとき」の売店にはクヌギでつくられた時松の作品が並んでいる。クヌギの皮を残し、クヌギの温かみを感じさせる器が、観光客の人気を得ている。


時松も町外から来た人だが、由布院温泉観光協会の研修部長の役を務めたこともある。観光業と農業と木工業をつなぐのが、時松の役割と心得ているのだ。

溝口や中谷の旅館では、食事の際に時松の作品を使用する。客が褒める。仲居は製品の良さを話すとともに、町内にある売り場を紹介する。

「どこそこの土産品売り場や『アトリエとき』などで販売していますよ」

美しいデザインの器に触れて、素材を生かした時松の匠の技に由布院らしさを感じて欲しい。そして、由布院の土産として買い求めて欲しい。そういうことなのだろう。

溝口や中谷は仲間たちと「草土舎」というものを昭和六十二年に立ち上げた。中谷に言わせると、それは「物産事業共同組合」というものらしい。旅館、工房、販売店などの職種の人たちがメンバーだ。その「草土舎」が開発した商品は組合員以外には卸さない。組合員の要望を取り入れながら、時松はじめ作り手がオリジナルなものをつくっていこうということだ。

由布院観光総合事務所の事務局長

由布院では、観光協会と旅館組合が一緒になって由布院観光総合事務所というものをつくっている。事務所の玄関には、「由布院観光総合事務所」という看板の脇に、「(仮)町づくり情報センター」という看板が飾られている。

これで、由布院観光業界の、まちづくりに対するスタンスがわかる。

それは、看板だけではない。由布院観光総合事務所の事務局長には、できるだけ町外の人を据えるようにしている。普通なら、由布院に詳しい人なり、行政のOBなどを据える。

由布院では違った。外の風をいつも入れようということなのだろう。

今までに、東京の地域づくりコンサルタントや、瀬戸市役所、静岡県庁などからの人たちが事務局長を務めたことがある。

平成十年には、全国公募で事務局長を選ぼうということになった。観光協会の事務局長を全国公募するということがまだ珍しい時だった。まず、日本経済新聞が「由布院で観光総合事務所の事務局長を全国公募」と掲載してくれた。由布院らしい仕掛けだ。他のマスコミも関心を持ってくれて、全国へ情報を発信してくれた。おかげで九十三人の応募があった。

応募者の中には、町長や助役の行政の経験者もいた。会社の重役や経営コンサルタントをしている人たちもいた。また、アメリカからインターネットを通じての応募者もいて、中谷や溝口を驚かせた。

溝口が言っている。

「九十三人の人たちが応募してくれた。それも、そのような立派な方たちが由布院へ行って地域づくりをやりたいと手をあげてくださった。そういう時代になったんだな。偉いことだなというのが実感でした」

まずは、応募者に論文を書いて貰った。「由布院についての提言」というテーマだ。これまた、溝口が言っている。

「この論文を読ませて戴く。それだけで勉強になり、公募をした甲斐があったというものですよ」

論文試験で二十一名に絞った。最終的には、面接試験を受けるために、十九名が由布院へやってきた。往復旅費は応募者負担であるが、宿泊代と食費は観光協会が持つようにした。ただ、食費の中に酒代も含むというのは由布院らしい。

面接は昼と夜との、二回、実施した。観光業界の事務局長だ。酒を呑むことが多い。だから、夜の面接は酒が入っての宴会面接とした。

昼と夜の面接は、応募者にも戸惑いがあっただろう。それだけに、応募者の本音が聞けた面接試験となった。この面接で落ちた人でも、ますます由布院が好きになったと移り住んだ人がいるくらいだ。

面接のポイントは、トラブルが起こった場合にどう対処するかであった。

応募者のひとりに東京都庁の職員である米田誠司という人物がいた。

面接の時に、中谷は米田に尋ねた。

「由布院観光総合事務所には、時には苦情を言ってくる観光客がいます。その時、あなたならどう対処しますか？」

「事情をよく聞いて、丁寧に説明するなり、それなりの対応をします」

「それでも、苦情を言う観光客がいます。どう対応しますか？」

「ゆっくりとよく事情を聞いて、より丁寧に対応します」

「それでも、しつこく苦情を言う人もいます。どう対処しますか？」

「時間をかけて事情を聞いて、その人がどうして欲しいのか、それに対処します」

「それでも、それでも、苦情をどなるように言います。どう対処しますか？」

中谷は、それはしつこくしつこく、米田に尋ねたらしい。

最後に、米田はにやりと笑っていった。

「表へ出ろ」

その瞬間、中谷の心は米田に決まった。もちろん米田は乱暴な男ではない。米田の度胸の良さの中に、人をもてなすやさしさを、中谷は見つけたのだろう。

米田は酒が強かった。夜の面接でもひとつも酔わない。中谷が言っている。

「米さん（米田の愛称）は酒に強い。なんぼでも呑む。朝まで呑む。そのせいではないのですが、いろいろなことを考慮して、米さんが通ったのです。そこで、後日、私が『あんたが通りそうだよ』と米さんへ電話をしたのです。東京都庁を辞めて本当に来るのだろうかと心配でしたからね」

当時の米田は三十四歳だ。一番の働き盛りだ。東京都の都市計画の職員としてやりがいのある仕事を任されていた。それに、奥さんがいてふたりの子供がいた。

米田は奥さんと相談をしたらしい。

「カミサンに相談をしたらひとことで『行こう』と言ったんです。子供たちがきちっと社会人になるまで二十年はかかります。その間、電車に乗って学校へ通う。そのような二十年間を子供へ押しつけたくないらしいのです。由布院へ行って、田圃の端っこで暴れまわるように育てたいとカミサンが言うのです。私もそう思います」

中谷や溝口は感激したらしい。溝口が言っている。

「子供の魂を揺さぶる原風景、自然環境が由布院にはあります。そういうところで子供を育てたいという想いを持って、米田さんは由布院へ来てくれたのです。私たちは、彼に共感し、彼を大切に育てたいと考えています」

米田は家族全員で由布院へ来た。電車通勤が徒歩通勤となった。

そして、今では、九州ツーリズム大学に積極的に関与するなど、米田は県内の観光地だけでなく、九州各地の観光地との連携を積極的に図っている。米田は米田としての「新しい観光のカタチ」を求めているのだろう。その舞台のひとつが由布院ということだ。

米田が由布院へ来て六年が過ぎた。手元には名刺が一万枚以上も溜った。由布院というよりも、米田がいかに人とかかわってきたかということだ。

現在、由布院で「亀の井別荘」「玉の湯」と並び称される旅館として、「山荘無量塔《むらた》」の名前がよくあげられる。「亀の井別荘」「玉の湯」は、今のようになるまで四十年という年月がかかっている。「無量塔」はオープンしてから、わずか十年で現在の雰囲気を醸し出している。その旅館を育んできたのが藤林晃司という人だ。藤林も大分県日田市から来た由布院の外からの人だ。

「無量塔」は由布院の丘の方にある。「亀の井別荘」や「玉の湯」は平地に造られている。それらと違って、「無量塔」はかなり急に変化する起伏を利用して造られている。ふたつの旅館とは違う造り方で、由布院らしさを表現しているのだ。

「無量塔」は、すべてが離れの部屋となっている。新潟や福島の古い民家を移築してつくられている。由布院のコンセプトのひとつである田舎というものを、藤林が大切にしているということだ。

「古い民家はいいですよね。そこには先人というか田舎の人たちのいろいろな知恵があります。その知恵を戴きながら、それらの古い材木たちをどう生かしていくか。それを考えることが、私は好きなのですよ」

藤林がよく言うことだ。「無量塔」の建物を見ればそのことがよくわかる。

ただ、由布院らしい田舎という雰囲気の中に、モダンさを漂わせている。「藤林ワールド」というか、藤林らしいのだ。家具や器を選ぶ際の、藤林のセンスの良さによるものかもしれない。中国の古い家具が飾られているかと思うと、食膳に並べられた器がヨーロッパ製だったりする。それらが高価なものと感じさせずに、いとも当たり前かのように置かれ使われている。

東洋と西洋の個性を上手に生かしている。それらのセンスはすべて独学ということだ。藤林は生来の粋人なのだろう。

藤林のこだわりがより強く感じられるのが、本館の二階にある「Tan's bar」というカクテル・バーだ。藤林が選んだ究極のウェスタンのホーン・スピーカーからは、クラッシックやジャズが重く低く流されている。カクテルの味を愉しみながら、その器の良さをも愉しむことができる。由布院の旅館の中にいるということを忘れさせてくれる。異国の上質なバーにいるような気持ちになる。「藤林ワールド」に、誰もがハマるということだ。

亀の井別荘は、和室離れ十五と洋室六で計二十一部屋ある。玉の湯は、和室三と和洋室十五で計十八部屋ある。無量塔は平成十六年に四部屋増やしたが、それでも和洋室離れ十二部屋のみだ。亀の井別荘、玉の湯と比べると少ない。由布院の外からの人である藤林にとって、その程度の規模が、由布院で占めることができる藤林のスケールなのであろうか。それが藤林特有の謙虚さなのか。私はそう思っていた。

最近、それが大きな間違いというか、私の独り合点だったということがわかった。この数年の間に、藤林は由布院において大胆にして緻密なる事業の展開を進めている。

由布院の町中に、ロールケーキの店「B-speak」、由布院盆地の景観を愉しみながら蕎麦を戴くことができる蕎麦屋「不生庵《ふしょうあん》」、音楽をテーマとしたミュージアム「artegio」、チョコレートの専門店「CHOCOLATIER ZO:」を次から次へとオープンさせた。

藤林のチャレンジは多分野に広がっている。それらのすべての施設に、由布院らしさをほどほどに見せながらも、藤林の想いというかこだわりが窺える。

「藤林さんのような人を才知に長けているというのだろうね。すべてが本物というか確かなものをつくっていくんだよね。由布院だけにしかないあのようなものが、由布院のあちこちにできるということは、住んでいる者にとっても、観光客にとっても嬉しいよね。そして、それは新しい『由布院らしさ』というものを教えてくれるんだよね」

そのような中谷の話を聞いたことがある。

それらの中でも、平成十四年にできた「artegio」はユニークな美術館だ。閉館時間が午後十時となっている。宿泊客が食事を終えてからも愉しめる時間に設定している。館内には読書室がある。マティス、クレーなどの音楽に関するアートを愉しんだ後に、音楽を聴きながら音楽に関する本を読めるのだ。

愉しみはそれだけではない。館内には、レストランやバーも設けられている。藤林こだわりの本格的なコース料理を味わうことができる。外庭のテーブルでは、夜空を仰ぎ見ながら食を愉しむこともできるのだ。

その「artegio」が、平成十五年から、「ゆふいん音楽祭」の一会場となった。館内は総ガラス張りだ。反響し過ぎて音が乱れるのではないか。私は危惧した。無用だった。当日は、ルネッサンスの宗教音楽が演奏された。「artegio」の素晴らしさを再認識させる音がホール内に響いた。

藤林には、観光客というより通人が求めるものを見極めることができる確かな眼があるのだろう。「無量塔」をはじめ各施設で使われているちょっとした小物や、土産などの包装にしても凡人には思いもよらないセンスがある。

溝口がよく言う。

「由布院には天才がふたりいる。ふたりのアイディアによって由布院がより素晴らしいまちになっていく。そのふたりとは、中谷健太郎さんと藤林晃司さんだ」

藤林は、これから、由布院で、どんな新しいことを展開してくれるのだろうか。藤林ワールドによって、由布院の新しい魅力がより深まっていく。また、それは、「由布院らしさで癒される場」が、由布院に増えていくということでもある。

第五章

発展する由布院の悩み

1．人と車の共生を求めて

狭い由布院

由布院盆地は狭い。狭いというか、小さいことを生かして、由布院の人たちはまちづくりにがんばってきたことは既に述べた。

しかし、観光客が増加するにつれて、小さいがゆえの悩みが由布院に生じてきている。交通問題だ。由布院の道路は狭い。住宅街の中に、旅館やホテルや土産店がある。

昔の由布院には、別府温泉などのように大型バスに乗っての団体の観光客は来なかった。車の渋滞などの問題は目立つほど起こらなかった。由布院は静かな温泉地だった。

最近、自然ゆたかな静かな由布院という名が全国へ知られるようになった。個人や家族連れの観光客が来てくれるようになった。そこまでは良かった。大型バスでのツアーというか団体客までもが来るようになった。それを目当ての、県外資本の宿泊施設や土産店などが町内のあちらこちらに進出してきた。

そして、幾多の交通問題が生じてきている。

休日になると、由布院駅前から金鱗湖までの狭い道は、観光客の長い列が続く。最近の由布院は「福岡の原宿」という呼び名をつけられるほどだ。由布院はかつて「九州の軽井沢」と呼ばれていた。軽井沢から原宿だ。人混みの度合いが想像つく。

その人混みの中へ、自家用車やタクシーが入り込む。車同士がすれ違えない程狭いところもある。車が立ち往生ということになる。金鱗湖の周辺となると、人混みと自家用車の中へ、大型バスが入ってくる。混迷、混乱、騒然といった状況になる。

人が歩ける道路ではない。高齢者や子供には危険さえ感じられる場所となる。

「人混みの中を歩かされただけだ。由布院へは二度と行きたくない」

苦情とともに不満を言う観光客も多い。

交通問題は、観光客だけの問題ではない。住んでいる人たちにとっても、不便この上ない。買い物へ行こうとしても渋滞でなかなか思うように商店街へ行けない。由布院では、各地区に地元住民のための温泉浴場がある。地元の温泉へも、地区住民はゆっくりと安全に行くことができない。

それになにより、大型バスをはじめとする車が出す排気ガスや騒音が、生活区域に住む人たちにとっては迷惑きわまりない。

観光客の通る道筋について、休日は「歩行者天国」にしてはどうだろうか。それができないのなら「一方通行」にしてはどうか。そのような意見も出ている。地元住民や商店の合意が得られないなど、いろいろな問題があり、実現していない。

町の周囲に駐車場をつくればいい。道路を拡幅すればいい。公共交通機関を多く巡回させればいい。用地の確保や予算の問題でなかなか進まない。

「観光よりもまず地域ありき」が、由布院のまちづくりの基本だ。生活観光地を目指している由布院だ。由布院の交通環境について、ふたつのことが考えられる。
・地元の人たちが安全で安心して住みやすい交通環境。
・観光客にゆっくりと散策して由布院を愉しんでもらえるための交通環境。
これは、全国各地の観光地が抱えている問題でもある。

ただ、狭い盆地に住んでいる由布院の人たちには、快適な交通環境にしたいという気持ちがより強いのだ。

歩行者が歩いて愉しい由布院の交通環境を確立するにはどのようにしたらいいのか。平成十四年の秋の終わりの二日間、由布院で「交通実験」が実施された。

交通実験の二日間

交通実験が催された二日間、由布院ではどのようなことが行われたか。交通実験を見ていた中谷と溝口が言ったのだが、「交通実験はまちづくり実験」でもあったのだ。

まず、実験に際して、車が由布院中心部に入らないような「四つのシステム」が講じられた。

①「パーク&バスライド」は、大分自動車道湯布院IC前の無料臨時駐車場に車を停めて、シャトルバス（有料）で町の中心部へ入り観光をしてもらうというシステム。

②「パーク&レールライド」は、JRの「南由布駅」周辺の無料臨時駐車場に車を停めて、臨時トロッコ列車などで由布院駅へ行き観光をしてもらうというシステム。

③「駐車場予約システム」は、観光中心地区駐車場は事前に予約されていた車のみを停めて、そこから観光してもらうというシステム。
④「田園地区無料駐車場」は、田園地区にいくつかの無料臨時駐車場を設置し、そこに車を駐車して観光してもらうというシステム。
そして、観光バス専用の乗降場を町の中心部にあるバスターミナルに設置し、観光客が散策する湯の坪街道の一部を歩行者天国にすることにした。

鎌倉をはじめ全国各地で、パーク&ライドの交通実験は行われている。ただ、由布院は狭い盆地だ。一般の住宅地域をも含んでの交通実験だ。かなりの苦情が来るだろうとの予想はついていた。苦情に対して、いかに丁寧に説明して理解してもらうか。今後の由布院の交通環境を確立するには最も大切だ。そのことを、関係者はみんな理解していた。

その最前線に、実験本部は、由布院の若者たちを配置した。次の由布院を担う人たちであった。由布院の交通問題を、真剣に悩み考えている人たちでもあった。

実験日は、秋の観光シーズン真最中の十一月二十三、二十四日とした。観光客、交通量、ともに、一番多い時だ。最も渋滞する日に交通実験をする。幾多の混乱がより生じることが予想された。それでも、その二日間に実施する。いい意味でも、悪い意味でも、最良の実験結果を得ることができると考えたのだろう。由布院の人たちが交通環境をより良くしたいということなのかもしれない。

今回の「交通実験」においての大きな目玉は、観光客、住民、事業者と、広い範囲においてアンケート調査をしたことだ。他の交通実験のアンケートとは違って、それが確実に集約されるように、アンケート担当部署には、かなりの人数のボランティアを配置した。由布院という狭い地域の交通実験ということで、アンケートを的確に把握しなければ、次へつなげていくことができないと考えたのだ。

アンケートの中に、自由意見というコーナーがある。そこに、どのようなことが書かれたかを見ることによって、当日の実験の内容を窺い知ることができる。

歩いて観光していた人たちは、歩行者のための施設が少ないと言っている。

「自由散策の時間が長くなったのに、トイレが少ない。もっと見やすい地図をつくって欲しい。土産店ばかりで観光地として見る所が少ない。駐車場が遠くになると、食事場所までかなり歩かねばならない。年寄りや車椅子の人たちのことも考えて欲しい」

バスの運転手の人たちは、自家用車の規制をもっと考えるべきだと言っている。

「バスよりも自家用車の進入禁止を徹底すべきだ。ツアー客は一、二時間しか時間がない。ゆっくり観光ができない。観光客に対して失礼ではないか。交通の面だけしか考えていない。それにバスの待機する場所が少ない。運転手の食事のことも考慮して欲しい」

観光業者の人たちの意見には辛辣なものが多かった。

「車が通らなくて道をゆっくりと散策できるためだろうか、お客が外ばかり歩いて、店内にいる時間が短くなった。客は重たい土産は買わずに軽いものばかりを買うようになった。歩きの客は土産を買わない傾向にある。高齢者への配慮が足りない」

生活している住民の意見は複雑だった。

「町をあげての実験は、町民の意識を高めるのでいいことだ。交通対策は小手先でなく根本的なことをやって欲しい。住民が公共の道路を使えなかった。こんな実験は不便で有り難くない試みだ。生活道路としての道路の役割はどうなるのだろう」

事務局には、観光客、観光業者、住民など多くの人たちからかなりの苦情が来た。ただ、「歩いて愉しめる」ことについては、八割の人たちから「良い試み」との評価を得た。アンケートの自由意見の中に次のようなものがあった。

「親子が手をつないで、由布院の町を久し振りにゆっくりと歩くことができました。ボランティアの皆さん、本当にお疲れ様でした。そして大変ありがとうございました」

ボランティアの人たちの数は、一日平均で七百人以上、二日間で延べ千四百十二人となった。町の人口の五パーセントにあたる人が、由布院のまちづくりに関わったということだ。由布院のまちづくりの輪が大きく広がっていった二日間といってもいいだろう。

「交通実験」は「まちづくり実験」

「交通実験の二日間、バスターミナルにおいて、ＳＰレコードをかけて観光客を歓迎したい。ひとりでは少しきついので、暇なら手伝って欲しい」

中谷から電話があった。

私は交通実験にボランティアで参加しようと考えていた。バスターミナルで中谷の愛蔵のＳＰレコードをかけて、観光客をもてなす。それはそれで、交通実験を応援できる。私は由布院へ駆けつけた。


交通実験の両日はともに好天に恵まれた。

バスターミナルのロビーに、ＳＰレコードの蓄音機をセットした。中谷がネジを巻き鉄針を替えてＳＰ盤の上に置いた。古い流行歌、ジャズ、クラッシックなどが、ロビー内に雑音とともに響き渡った。

バスから降りてきた老夫婦が懐かしい顔で聴いてくれた。蓄音機の喇叭《らっぱ》型のスピーカーについて、子どもに説明する親もいた。

中谷と私は、ロビーの片隅にある長椅子に座って、それらのほのぼのとした光景を見ていた。中谷が言った。

「この実験をただの交通実験で終わらせるのではなく、ひとつの『おもてなしの場』としての実験の場ともするのです。そう考えると、今回の実験には、おもてなしの場が少ないような気がするのです。そこで、急遽、SPレコードを聴いて戴く場をつくったのです」

交通実験を交通実験だけでなく、観光地としての由布院のおもてなしの場というか、まちづくりの実験の場とする。中谷らしい発想だ。

実験の途中、中谷と私は町内を回った。進入禁止の辻々には、若者たちが立っていた。強制的な禁止はしない。やわらかく対応する。交通実験に協力して戴くようひたすらお願いをする。それが、今回の実験での対応のコンセプトだ。だから、警官や警備員などは配置せずに、ボランティアの若者たちを配置することにしていた。

「苦情がかなりあるだろうね。大変だろうががんばってくれ」

中谷が若者たちにねぎらいの言葉をかけた。

「実験ですからね。かなりの苦情はあります。でも、静かな由布院づくりのためですからね。中には、お礼をいってくれる観光客の方もいます。ありがたいことです」

若者は笑っていた。これは何なのだろう。由布院の交通実験に、これまでの全国各地で行われた交通実験とは少し違う雰囲気を、私は感じていた。それは、警官や警備員ではなく、ボランティアの若者による規制だからというだけではない。このまちの未来を考えるために、若者たちが汗を流してがんばっているということを知ったためだ。

交通実験に参加していたのは若者たちだけではない。由布院のおばさんたちも割烹着を着てボランティアとして多数参加していた。昼食づくりの炊飯や接待などの役割を担っていた。

交通実験の日のメニューは、一日目が地鶏のおにぎりとみそ汁、二日目がカレーライスだった。それらを、おばさんたちは公民館でつくり、関係者やボランティアすべての人たちの昼食を賄っていた。

昼時を少し過ぎた頃を見計らって、中谷と私は公民館へ行った。おばさんたちは入り口で忙しそうにカレーライスをつくっていた。

「ご苦労さん、お疲れさんじゃな」

座るとすぐカレーライスとみそ汁を持ってきてくれた。

「これも食べると疲れがとれるよ」

みかんの入った籠を差し出してくれる。

「おばさん方もご苦労さんですな」

中谷が頭を下げる。おばさんたちは口に手をあてて笑うだけだった。

おばさんたちの働いている姿を見ながら、これはかつての田植えや稲刈りの光景に似ていると思った。それぞれの役割分担がきちんと決められ、それぞれがそれぞれの役割を愉しく果たしている。

これは村のシステムだ。これは村人による交通実験だ。都会ならばこうはいかない。仕出屋へ弁当の手配をする。昼食時には、車で弁当を各部署へ配布し、後で空になった容器を回収するといったところだろう。

由布院の村のシステムによる交通実験は、都会と違って不器用だが、人の情けというものが感じられた。

二日目の午後五時頃、交通実験は終わろうとしていた。人影は少なくなっていた。

「ヨシッ、これを最後の演奏とするかな」

中谷はSPレコード盤に針を置いた。黄昏の日射しが差し込むバスターミナルのロビーに「チゴイネルワイゼン」のメロディーが雑音とともに静かに流れた。机や椅子などの撤収作業をしていたボランティアの人たちも手を休めて耳を傾けていた。

その時、溝口がやって来た。中谷やボランティアの人たちにねぎらいの言葉をかけた後、溝口が私へ言った。

「これは交通実験ということだけではないのです。由布院のまちづくりの実験でもあるのです。それに、実験関係者やボランティアの皆さんだけでなく、観光客のみなさん、バスの運転手さん、住民のみなさんなども参加したのだということを認識して欲しいですよね。その認識というか想いが、次の由布院のまちづくりにつながりますからね」

溝口も、中谷と同じ発想で、この交通実験を見ていた。由布院の多くの人たちもそう考えてこの二日間をがんばったのだろうと、私は思った。

全国の各地でも、これからいろいろな交通実験が行われるだろう。その時に、それをただの交通実験として捉えるのではなく、次の三点を考えていくことが大切だ。「交通実験はまちづくり実験」なのだからと、私は由布院から教わった。

・交通の視点だけでなく、まちにとってこれからどうあるべきかという広い視点。
・まちづくりという発想からの協議、検討、配置、調査、アンケートなどの実験手法。
・町内外のあらゆる層の人たちが参加するシステムづくり。

2. 由布院が壊れていく

乱立するけばけばしい看板

志手、中谷、溝口の三人がヨーロッパの旅から戻って、まず手がけたことは、盆地内に乱立していた看板の整理だった。ヨーロッパ各地のすっきりと整えられた秩序ある景観が、三人に強烈な印象を与えた。

当時の由布院盆地には、旅館やホテルが、道路の辻々にそれぞれのデザインで大なり小なりの看板を立てていた。そんなに贅沢な看板ではなかったが、それらにより、由布院らしい農村の景観が壊されていた。

黒を基調とした統一のデザインによるサイン看板をつくろう。観光客が迷うような道路の交差点や曲がり角に設置していこう。それとともに、古い不統一な看板を撤去する。そうすることにより、由布院らしい景観をまずは守っていこうと考えた。

しかし、観光協会としては「看板ありき」ではなかったのだ。最終的には、看板を撤去して、田舎らしいすっきりとした美しい景観を目指していた。当時の中谷が語っている。

「広告看板で客を呼び込むのではなく、逆に看板のない静かな〝桃源郷〟としてお客を迎えたい。観光面で聞きたいことは観光案内所で聞いてもらえば良い。町はあくまで生活村であり、観光客を呼び込むのが目的ではない。町が明るく住みやすくなるようにしたい」

サイン看板を立てることにより、由布院の交差点などの景観は、一時的にはすっきりとした。

しかし、由布院への観光客が増えるにつれて、県外資本の宿泊施設や土産店などが進出してくるようになった。辻々にあるサイン看板が立っているところに、それらの施設単独の看板が乱立していった。色彩もけばけばしければ、かなり大きな看板が立てられていった。由布院の住民にとっても、由布院を訪れる観光客にとっても、それは見苦しい光景となっていった。

看板だけではなく、新設されていく宿泊施設や土産店などの建物そのものが由布院らしい景観を壊していった。

そのような時、昭和六十二年にリゾート法（総合保養地域整備法）が施行された。その追い風を受けるかのように、開発業者が由布院へ次から次へと入ってきた。リゾートマンション、分譲別荘などが、外部資本によって無計画に無秩序に建てられようとした。

由布院らしさがますます壊されていった。

由布院の「自然」が、「静けさ」が消えていこうとした。

開発反対、町外の人は来るな。そのような姿勢では、由布院の成長はない。「開発」

と「保護」、その相反する行為を共生させなくてはならない。

そこで、平成二年に制定されたのが、「潤いのある町づくり条例」だ。

「由布院にお住みになりたいのなら、由布院のまちづくりの考え方・ルールにどうか従って下さい。そして、由布院の秩序あるまちづくりへ一緒に参加して下さい」

「潤いのある町づくり条例」の基本コンセプトだ。健康保養温泉地を目指していた由布院の人たちから開発業者への切なるお願いだった。

条例では、制限を強化するのではなく、「成長を管理」するという姿勢が見られる。成長、その目安は由布岳の眺望を壊さないということだ。高さが十メートルを超えて建設される建物や、千平方メートルを超える宅地の造成などは、開発に際して、近隣関係者に告知し、説明会などを開き、十分な理解を得ることを義務づけている。

建築物及び宅地の開発については、自然環境及び周辺の環境に適合したものでなければならないと規定し、環境整備への貢献（環境整備協力金）を義務づけている。

そして、開発を極力抑えようとする地区を定め、条例に則って、開発行為と保全活動を相互に調和させながら、町全体の「成長を管理」するとしている。

当時、私は大分県の都市計画課に勤務していたが、部署は違っていたが、担当者が建設省（現在の国土交通省）とかなりの協議を重ねていたことを覚えている。国、県、町、それぞれの担当者の苦労があって、「潤いのある町づくり条例」ができたことは確かだ。

現在では、景観や自然を守るための条例は多くの市町村で制定されている。でも、リゾートブームそしてバブル華やかなりし平成二年当時の風潮の中では、その開発を管理する由布院の「潤いのある町づくり条例」は、先鋭的というか斬新な条例だったのだ。

条例制定から十余年が過ぎた。建物の高さなどの面ではかなり効果をあげている。最近になって、その建物の質が問題視されはじめるようになった。既存の小さな旅館や商店の建物の中に、由布院らしくないものが建てられはじめた。高さだけは確かに守られているが、環境上、景観上、由布院らしさを壊す建物が造られている。

これではいけない。由布院の人たちは議論をはじめた。

創り、守るべき「由布院の風景のイメージ」を形として示し、由布院に関わる人すべてがそれを共有するための「由布院での建築の心得」といったものをつくる必要がある。

由布院の人たちは町内を歩きながら議論や検討を広げていった。

平成十二年に、「ゆふいん建築・環境デザインガイドブック」という冊子が作成された。作成の事務局が、由布院観光総合事務所となっているところが由布院らしい。

そのガイドブックは、「由布院建築環境デザインシンポジウム」の開催とともに発表された。アピールする機会をつくろうということだ。これまた由布院らしい。

ガイドブックを見ながら、私は思った。

由布院には何もないわけではない。由布院らしいものはまだまだ沢山ある。田舎であったがために「由布院らしい風景」が残されたのかもしれない。

しかし、ガイドブックを作成して、注意を喚起しなくてはいけないほどの危機的な状況にあることも事実なのだ。

ガイドブックは、建築主や設計・建築関係の人たちへ、建築する際の「心得ごと」として利用されるためだけでなく、多くの人たちが建築や環境に対する意識を高めることをも期待している。

ガイドブックでは、まず由布院らしい風景として、「小ぢんまりとしたたたずまいのある風景」「内と外との係わり合いを大切にしている風景」「自然な風合いを大切にしている風景」の三つをあげている。そして、「ムラ」の風景をつくるために、三つの原則のもとにきめこまかい具体的な九つの心得を提示している（次々ページ参照）。

それによると、由布院は小さな由布院盆地であることをまず認識して欲しい。由布岳を敬い、眺めを大切にし、建物の高さを抑えて欲しい。ゆたかな由布院の自然を大切にし、それを生活の中に取り込む工夫をして欲しい。そして、生活する人が穏やかに生活でき、まちゆく人たちのための場所をつくり、おもてなしの町「由布院」ということを忘れないで、建物などを造る場合には、いろいろな配慮をして欲しい。

由布院の人たちの切なる「願い」というか「想い」を感じることができる。

「潤いのある町づくり条例」が高さなどを制限する「成長の管理」ならば、「ゆふいん建築・環境デザインガイドブック」は「地域で生きていくうえでの心得」といったところだろう。

しかし、由布院は田舎である。田舎であるということを深く認識して、由布院で生活していくならば「潤いのある町づくり条例」「ゆふいん建築・環境デザインガイドブック」というものは不要なのである。

景観についての会議の中で、中谷が言っていたことが忘れられない。

「田舎では建物を造る場合でも何をする場合でも、まずはお隣さんに合わせたものだよ。お隣さんに合わせれば、高さ、色、デザインなどの問題は起こらないはずだよ。昔から、由布院の人たちはそうやってきたのだ。このデザインガイドブックが、まずはお隣さんを考える由布院らしいシステム復活の機会になって欲しい」

市町村合併問題

現在、全国各地で「市町村合併問題」が論議されている。

地方分権ということで、国の権限を市町村へ委譲しよう。そのためには、受け入れる市町村が、財政的にも人材的にもしっかりした基盤をつくらなくてはいけない。そこで、いくつかの隣り合う市町村が合併をして、合理的かつ効率的な行政組織システムを構築していこうということらしい。

ものを創るにあたっての9つの心得

『ムラ』の風景をつくる
～農村文化に支えられる、いやしの里の豊かな暮らしの風景～

原則1　小ぢんまりとしたたたずまいをつくる

心得1：盆地の程良い大きさを大切にし、小振りなつくりとする
心得2：ひとの尺度を中心に、細やかな配慮を心がける
心得3：周囲との調和を大切にし、控えめにつくる

原則2　内と外との係わり合いを大切にしていく

心得4：通りに対して堅く閉ざさないつくり方とする
心得5：豊かで多様な自然を、暮らしの中に取り込む工夫をする
心得6：まちゆく人をもてなす空間を、あちこちに用意しておく

原則3　自然な風合いを大切にしていく

心得7：ゆふいん固有の素材感や風合いを大切にする
心得8：豊かな杜の緑を引き入れ、敷地の周りを囲い込む
心得9：安全で安心な、かたちや素材を大切にする

「ゆふいん建築・環境デザインガイドブック」より

「うちの町は合併すべきだ」

「うちの町は合併しないで独立してやっていくべきだ」

その問題は、全国の多くの市町村が抱えている。それぞれの市町村に、それぞれの地域性や歴史的流れなどの背景がある。むずかしいということだ。


湯布院町でも、現在、市町村合併についての論議がされている。

今回の市町村合併で、町の名前が消えるのではないか。「ゆふいん」という名前を勝手に使われるのではないか。由布院には、それを危惧している人たちがいる。町の名前もそうだが、「潤いのある町づくり条例」「ゆふいん建築・環境デザインガイドブック」などをはじめ、今まで培ってきたまちづくりの「こと」や「もの」が、大きくなった行政の中へ埋没していくのではないか。由布院の人たちは不安なのかもしれない。

町が平成十四年に実施したアンケートには、半数以下の住民しか回答しなかった。それは、市町村合併に賛成とか反対とかいうよりも、湯布院町の将来に対して不安があるということなのだろう。

湯布院の市町村合併問題は、湯布院町民ではない私がとやかくいうことではない。合併する、合併しないは、町に住んでいる人たちが悩み議論しあって決めればいい。ただ、まちづくりの先頭を走ってきた湯布院町の人たちが、どのような判断をし、どのような展開を見せていくかは見つめていきたいと思う。

湯布院町役場は、現在、平成十七年三月末の合併特例法の期限に間に合うように、同じ郡に属する挾間《はさま》町と庄内町という二町との合併の作業を進めている。

それに対して、市町村合併のひとつの手順である「法定合併協議会の設置」を町議会で早急に決めないように求める署名を、湯布院町の若者グループが町長と町議会議長に平成十五年三月に提出した。

要望の内容を見ると、「より多くの町民が納得して判断できるよう、さらに慎重な検討が必要」となっている。全国の市町村合併に揺れる人たちの気持ちでもある。ただ、若者たちが十日間というわずかな期間で千四百人あまりの署名を集めた。町内の有権者の十五パーセントにあたる。また、三十数人の未成年も署名しているという。

平成十六年には、由布院温泉観光協会などのグループが湯布院町の財政を将来的に安定させるための施策を出している。合併しなくては町の財政が成り立っていかない。だから合併する。それが町の理由だ。合併しなかったらどうなるのか。合併しなくては絶対にやっていくことはできないのか。まず、そのことから、話し合っていこうではないか。慎重派の気持ちだ。

そして、「挾間・庄内・湯布院の合併の是非を問う住民投票条例制定を求める会」が住民投票条例の制定を求める直接請求に必要な署名簿を町に提出している。直接請求には町内の有権者の五十分の一以上、つまり百九十一人以上の署名が必要なのだ。それに対して、会は約二週間で三千六百人以上の署名を集めたという。しかし、町議会は平成十六年九月、条例の制定を否決した。町は混迷を深めている。

これからの湯布院町はどうなるのか。将来を生きる子どもたちに何を残そうとしているのか。これは、行政だけの責任ではない。地域に住む人たちにも大きな責任がある。行政と住民が話し合うことが大切だろう。

市町村合併という問題だけではない。将来の町のあるべき姿を、みんなで常に議論していくしかない。合併するか。合併しないか。それは、まちづくりのひとつの手法だ。大切なことは、町のありようというか、町の将来像をいつも見据えておくということだ。

ゆふいん観光行動会議の「自治体合併問題緊急アンケート結果」の中に、ふたつの面白い意見があった。

「合併は大きいほど良い気がする。小さな枠は取り払って自由な地域を目指して欲しい」

「合併する、しないにかかわらず、自治体よりも、もっと小さな地区の力を強めていくことが大切。由布院・湯平・塚原それぞれで自立・自治の力をつけていくことが必要だと思う」

なるほど大きい小さいという考えの違いはあるけれど、今後、自由・自立・自治という、地域が目指すあるべき姿が同じというところが由布院らしい。いずれにしても、由布院の人たちのより良い由布院をつくっていきたいという気持ちは変わらない。

「私たちの故郷をどう守り育んで、次の時代を生きる子どもたちへどう受け継いでいくか」

そういうことだ。

由布院の転換期

由布院では、交通問題、景観問題に限らず多くの問題が生じている。由布院が抱えている問題は、我が国のどこの観光地でも抱えている問題なのだ。ただ、由布院では、観光客が多く来るということから、それらの問題が顕著に表れており、解決策がなかなか見えないのかもしれない。

生活する場でもあり観光の場でもある「生活観光地」の由布院だ。住む人にとってのより良いまちづくり、訪れる人にとってのより良いまちづくり、両方を考えていくと、いつも軋轢《あつれき》が生じて、問題が大きくなるのは確かだ。「生活観光地」であることの宿命なのだろうか。

それに、最近、情報化、道路の高速化という時代を迎えて、由布院には今あらたな問題も生じてきている。今までの観光の形態とは違う状況が、次第に起こりつつあるということだ。

ゴールデンウィークの由布院を歩いてみた。金鱗湖へ続く人混みの凄さ、高速道路のインターチェンジの交通渋滞は例年どおりだった。

由布院の若者たちが辻々に立って交通整理や観光案内をしていたのが目についた。役場や観光協会の人たちが出ているらしい。

夕方になった。宿泊する人は旅館やホテルへ行き、日帰りの観光客は帰途につくのだろう。そして、由布院は人通りの少ない田舎町となり、いつものように静かな由布院へ戻ることだろうと思っていた。

しかし、五時を過ぎても、多くの観光客が通りをうろついている。宿泊の観光客ではなさそうだ。日帰りの観光客だろうか。まだ、散策や買い物を愉しんでいるのだろうか。少し違うようだ。あてもなくただブラブラしているような感じなのだ。

これはおかしい。これはいつもの由布院の夕暮れの光景ではない。どうしたことなのだろう。由布院の若い料理人に尋ねてみた。

「高速道路の整備が進んだから、福岡まで二時間程度で戻れるようになった。だから、開いている店があったら閉店時間まで、何をするというわけでもないのですが、由布院をゆっくりとじっくりと愉しもうということなのでしょうかね」

そして、彼の口から嘆きにも似たため息がもれてきた。

「最近の観光客の動向、特に若い人たちの思っていることはさっぱりわかりません。インターネットやメールなどの情報のツールがいろいろあるからでしょうか。夕方になっても歩いている若者たちは携帯電話などを使って、由布院のどこそこの店が開いているからなどと友だちと連絡を取り合っているのでしょうね。客が来るから、店も開けておく。店が開いているから、客が来る。そこで、このような夕方でも騒々しいという現象が起きているのでしょうね」

数年前、由布院に二十四時間営業のコンビニができると聞いて、私は驚いた。そのコンビニさえ、今では数軒になっている。出かけてみると、コンビニ前の駐車場にたむろしている若い人たちがいた。

それに、由布院には二十四時間営業の外食の店もオープンしている。田舎である由布院にも都会の機能が入り込もうとしている。由布院らしさを漂わす施設と、由布院らしさを破壊する施設とが、由布院にできつつある。つまり、田舎的なものと都会的なものと、由布院は二極化しようとしているのだ。由布院は大きな転換期を迎えているといってもいいだろう。

ゆふいん健康温泉館で催されたフォーラムで、信州から来た観光業の人が言っていた。

「私たちの町も、昔は静かだった。観光客が多くなって、その観光客目当ての町外資本の店がどんどん入ってきた。町の静けさや、町のスタイルが失われ、町の魅力がなくなっていくとともに、観光客も激減した。そして今、駅前はシャッター通りと呼ばれるほど、ある意味では静かになった。廃墟化したといってもいいだろう。現在の由布院は、私たちの町の十年前にそっくりだ。十年後の由布院はどうなっているのだろうか」

第六章

由布岳の麓に生きる

1・生活観光地

究極の健康保養温泉地

由布院の温泉に入ると、私はいつも温泉の量のゆたかさに驚かされる。それに、旅館やホテル、それぞれが源泉を持っているところが多い。

「町誌・湯布院」には、温泉について、由布院の人たちの面白い発言がある。

「(昔は) そこらじゅうが温泉だった。庭樹が枯れ、家の床が腐った。祖父が大きな池を掘った。もちろん底一面から温泉が湧いた」

「とにかく樹が枯れて困った。それと水に困った。水道のできる前は井戸しかなかったから、井戸を掘るとみな温泉になった」

「温泉は多かった。あまり多いもんでボーリングせんで良かった。自然湧出であり余っちょった」

そのように、由布院の温泉は一カ所だけでなく、盆地のあちこちから湧出している。温泉の出ているそれぞれのところを中心に、旅館やホテルが建てられている。町内のあちらこちらに宿泊施設が分散するというようになっている。そして、その周辺に、普通の家が建てられ、畑や田圃がある。つまり、一般の人たちが生活する中に、温泉施設がある。それが由布院なのだ。

だから、由布院は他の温泉地のように、温泉情緒を感じさせる旅館街やバーや飲み屋がある歓楽街ができなかった。それでは、由布院は「生活観光地」を目指すしか方策はなかったのか。それは違うと思う。

「健康保養温泉地の究極は生活観光地である」

由布院の人たちはそう考えていたのかもしれない。

新しく町内に進出してくる観光施設業者が多い。地元に早く溶け込んで欲しい。地元とのルールを守り穏やかな関係を保持して欲しい。「生活観光地」としての由布院の人たちの願いでもあり想いでもある。

由布院の温湯《ぬるゆ》地区では「お見知り法」という地区の法律というか約束ごとが平成十四年に制定された。

「温湯地区に住もうとする人や、商業活動をしようとする人は、皆、地元へ届け出が必要である」

みんなが顔なじみになろう。そして、みんなが一緒になって安全、安心に暮らせるまちづくりを進めようということだ。

ある対談で由布院温泉の温泉情緒についての話が取り上げられていた。

「温泉地は浴衣を着てゆっくりと散策したいですよね。由布院は浴衣を着て歩くことはできないですよね。そういう意味では、由布院温泉は温泉情緒がないよね」

「浴衣というものは、夜、寝る前に着るものなのですよ。それを着て、町中をうろうろするというのはどうもね。それに、由布院温泉は一般の住宅街の中にあるから、浴衣を着てうろうろすると、本人も恥ずかしいが、住んでいる人たちも変に思うでしょうね」

「すると由布院には温泉情緒がないということなのだろうか？」

「それは違うと思うよ。温泉情緒にはいろいろなスタイルがあるということだよ。浴衣を着て歩ける温泉地がある。生活を感じながら散策できる由布院のような温泉地がある。だからこそ、観光客は多様な温泉地を愉しめるということなんだ。由布院温泉の隣の湯平温泉は旅館が集中している温泉地だから、浴衣を着て散策するにはふさわしいよ」

　この対談のことを溝口に話したところ、溝口は苦笑しながらいった。

「由布院温泉はね、日常生活とはそう離れすぎない、そう、日常生活をちょっと離れて過ごすことができる。それが良かったのかもしれないのです。日常生活とまったく違う空間というものは、最初は異次元空間を感じさせ、人の気持ちを高揚させてくれます。でもね、そのような世界に長時間いることは、とても疲れるものなのです。

　由布院では、旅館を一歩出れば、そこは一般の住宅街なのです。日常生活とは、そんなに違わない空間が広がっています。だから、由布院でのひとときを過ごすには、他の温泉地や観光地とはちょっと違った習慣というかルールがあるのです。

　他の温泉地では、浴衣を着て散策する姿をよく見かけます。由布院では見かけません。そう、由布院では、旅館の外へ出る場合には、ちょっとおしゃれをして、田圃の畦道《あぜみち》や狭い生活道路を散策して戴くようにしています。今では、宿泊客もそれを愉しんでくれるようになりましたよ」

「日常生活」といえば、このような話を聞いた。ある作家は、年に数度、由布院へ来るそうだ。温泉に入ること、おいしいものを食べること、ゆっくりと過ごし、癒され疲れをとること、そのような目的もあるだろう。他の目的もあるらしい。作家は言っている。

「由布院に来るのは愉しいんだよな。多くの人に会っても気兼ねせずに話をすることができる。都会ではいつも仕事がついてまわる。由布院ではそれがない。由布院へ来るとホッとするんだ。それになにより、生活の匂いを享受することができる」

その作家がどうして由布院へよく来るのか。由布院の人に尋ねたことがある。

「来る来る。あの人はね、散髪やマッサージをしてもらうために由布院へ来るのよ。由布院の床屋の主人や指圧の病院の先生と世間話をするために来るのよ」

それは、由布院の日常生活を愉しみに来るということだろうか。

由布院でよく姿を見る料理研究家の辰巳芳子もこんなことを言っている。

「由布院は温泉もいいけれどね。私は由布院へ来ると、旅館の付近にある厚生年金病院へ行くの。そしてね、私の体のすべてをチェックしてもらうの。おいしいものを食べて、温泉に入って、静かに過ごして、健康チェックができる。由布院は、私の元気の源かもしれないわね。由布院へ行くと『おかえりなさい』と迎えてくれるのよ」

これは観光ではない。「生活」だ。暮らすということだ。二人の話を聞いて、私はそう思った。


前述した中谷の言葉が、私の脳裏に再び浮かんでくる。

「観光というものは特別に観光のものとしてつくられるべきではないのです。その土地の暮らしそのものが観光というものなのです」

そうなのかもしれない。由布院の人たちが生きている。その生活の中にとけ込んで、疲れた心が癒され快くなっていく。それが、由布院の目指している「生活観光地」なのかもしれない。私がそう納得していると、中谷が少し考える素振りで言った。

「生活観光地を逆にしたらどうだろう。観光生活地……何か新しいものが見えてきませんか？」

中谷の言うことは、時々、わからないことがある。そこが中谷の魅力ではあるのだが、その後に、中谷は話を続けた。

「最近、由布院では連泊する客が多くなった。私は、由布院の宿が『滞在型の宿』といわれるよりも、この由布院の町そのものを『滞在型の町』にしたい。連泊も、一週間、二週間になると、観光客も地元の人になる。東京へ行って、盆や正月にしか戻って来ない息子や娘などよりも、観光客が地元にとけ込むのだ。そうすると、滞在者が『活き活きできる場』が必要となってくる。そう『出会いの場』だ。人と人が出会うと喜びが生まれるんだ」

中谷の話に、私は引きこまれていく。

「そして、どうなるか。観光客が地元の商店街を歩くようになる。本屋、散髪屋、雑貨屋、喫茶店、バー、居酒屋などを訪れるようになる。観光客がなじみの店を持って、由布院へのリピーターになってくれるということだ。そうなると、観光客ではないよな。もう地元の人そのものだよな」

中谷の話を聞いていると、私は「生活観光地」でも「観光生活地」でも、どちらでもよくなった。

観光客と地元の人が出会って語り、由布院の日々の生活を、地元の人とともに喜び合って愉しくゆっくりのびのびと生きていける。それが豊かに生きるということなのかもしれない。由布院のまちづくりのありようを、そこに見たような気がしたからだ。

行政と民間の役割

由布院では、「民間主導」でまちづくりが進められてきた。中谷、溝口などの民間のリーダーたちのがんばりが突出しているために、そう思われるのかもしれない。しかし、湯布院町役場、「行政」の人たちのがんばりもあった。ただ、行政の人には行政としての立場があり、それなりの苦労があるのだ。

私も、三十年間、行政に携わってきたので、そのことをしみじみと痛感する。行政の職員はどのような場合でも常に責任ある姿勢をとり続けなければならない。組織の中の一員として動かねばならない。中立であらねばならない。批評的立場がとれない。そして、失敗が許されない。

だから行政というものは自由に考え、ものを創っていくというようなシステムにはなっていない。

しかし、その仕組みの中で、行政の人たちも住民に喜んでもらえるように「まちづくり」に努めなければならない。行政も行政なりにいろいろな「役割」があって大変なのである。

その行政の役割のひとつが、民間の人たちがまちづくりにがんばっている時に支援することだろう。

昭和四十年代のはじめにこんなことがあったらしい。中谷や溝口たちがまちづくりをはじめていた頃だ。当時の湯布院町長であった岩男から中谷や溝口たちは呼ばれた。

「君たちに湯布院町らしいパンフレットをつくって欲しい」

岩男から頼まれた。中谷や溝口たちにはパンフレットをつくった経験などなかった。由布院を素晴らしいまちにしたいとがんばっていただけだ。その熱意に、岩男は期待するとともに力を発揮する場を与えようとしてくれたのかもしれない。

中谷や溝口たちは無鉄砲だった。岩男に途方もない要求をした。

「湯布院町らしいパンフレットをつくるなら、百万円くらいはかかります」

当時のパンフレット作成の予算は、二、三十万円が相場だった。

「そうか。君たちが百万円というのなら百万円を予算化しよう」

町長は了承してくれたが、町議会の議員たちが騒ぎ出した。

「パンフレットをつくったこともない若者たちに百万円も出してつくらせるなんて」

岩男は、町長室に中谷や溝口たちを呼んだ。

「議会の反対があるから無理だ」

岩男からそう言われると思った。岩男は中谷や溝口たちへ言った。

「パンフレットの作成を続けてくれ。君たちにすべてを任せる」

岩男の信頼を、中谷や溝口たちは強く感じた。岩男の信頼に応える湯布院町らしいパンフレットを作ろう。中谷や溝口たちは行動をはじめた。中谷や溝口は、町の内外に、デザイナー、カメラマン、プランナーなど、多様な人脈を持っていた。その人脈をフルに活用した。

中谷や溝口たちの満足できるパンフレットができた。

役場や議会や町内の人たちから非難の声があがった。

パンフレットの表紙に墓石の写真を使っていたのだ。

「苔むした石に十字架が刻まれている隠れキリシタンの墓石は湯布院町らしい」

中谷や溝口たちは思った。当時のパンフレットの常識とはかけ離れていた。しかし、そのパンフレットが、全国のパンフレット・絵葉書コンクールで最優秀賞を受賞した。すると、町の人たちのパンフレットに対する評価も変わり、期待をかけてくれるようになった。その期待は、まちづくりを進めていく上で、中谷や溝口たちにとって大きな自信となった。


志手、中谷、溝口のドイツへの旅に際しても、岩男は応援をしてくれた。

溝口は言っている。

「まちづくりは、やはり『人づくり』です。そのためには、若い人たちが何かをしようとする時、何らかの支援を少しでもしてくれる。それが『行政の役割』だと私は考えます。私たちの場合、その役割を務めてくれたのが、当時の町長・岩男頴一という人であったのでしょうね」

行政の役割のひとつは、民間の人たちのまちづくりの応援団であることなのかもしれない。由布院のまちづくりを見ながら、私は思っていた。しかし、民間の応援どころか由布院のまちを震撼させることが、行政内部で起こった。

平成十五年八月、現職の湯布院町長が汚職により逮捕されるという事態が生じた。町発注の防災無線工事の入札の際、町長が業者の便宜を図る見返りに現金を受け取ったというものだ。

現職の町長が逮捕された。若者たちはじめ多くの人たちに大きな衝撃を与えた。利権やしがらみによって行政の長たるものが動く。そのような旧態依然とした体質が、湯布院町の行政にはまだ残っていた。

町の行政を変えたい。出直し町長選挙の際に、若者たちは町長選挙立候補予定者による「公開討論会」を開催した。しかし、何か物足りなさを感じた。

「民間の私たちの方から、行政へ、もっと直接、近づかなくてはいけない」

行政は行政の役割を果たす。民間は民間の役割を果たす。それだけでは駄目だと考えたのだ。行政の中へ、民間の若者たちも、もっと入っていこうよと言うのだ。

平成十六年一月、町議会議員選挙が実施された。まずは、町議会からだということで、まちづくりグループから数人が町議選への立候補を表明した。三十代、四十代の若者ばかりだ。

「議会のチェック機能が働かなければ同じことが繰り返される。住民へいつも行政の情報を流し続けなければ、それを受けての住民の声も出ないし届かない」

一月、雪の降りしきる中、若者たちが由布院の盆地を走り回った。選挙戦を戦ったことのない若者ばかりだった。戸惑い、困惑、混乱など、いろいろとあったらしい。

そのような中、由布院らしいひとつの出来事があった。

選挙に若者たちが立候補するのなら、その選挙戦を映画に撮って、「ゆふいん文化・記録映画祭」で上映しようということになったのだ。

映画を撮ると決まったら話は素早く進んだ。

「湯布院映画祭」を高校生の頃から応援してきた楢本皓《ならもとあき》が監督、撮影することになった。編集は、「ゆふいん文化・記録映画祭」をコーディネートしている清水浩之がしてくれることになった。

楢本は日本大学の学生だった。留年を覚悟して由布院へ年末に入りクランクインとなった。

選挙戦を含めて約一ヶ月の撮影が続いた。大雪の降る中、ほとんど楢本ひとりでの撮影だったらしい。撮る方撮られる方お互いの勘違いによる取材拒否、町の慣習による撮影拒否などにより、「撮影断念」という場面も少なくなかった。しかし、楢本の持ち前の人柄によって撮影は続行された。約六十時間というテープが回されてクランクアップした。

次は、清水の孤軍奮闘の編集作業が、四ヶ月続いた。

「ゆふいん文化・記録映画祭」での上映前日の深夜に、映画「プロジェクトY〜ゆふいんａｆｔｅｒＸ」はやっと完成した。

ＮＨＫの「プロジェクトＸ」という番組で、由布院のまちづくりが取り上げられた。番組では由布院のまちづくりの「過去」についての諸々のことが放映された。それに続いて「今」を取り上げた映画ということで「Ｘ」の次の「Ｙ」であるらしい。

とにもかくにも「産地直送」の映画は、満員の中央公民館のホールで上映され、町の人、町外の人、みなさんの好評を得た。映画「プロジェクトY～ゆふいんａｆｔｅｒ Ｘ」は、これまた由布院らしい小さな「奇跡」の映画である。

選挙戦の結果はどうなったのか。立候補した若者たちのすべてが六位以上と上位当選を果たした。それだけ町民の期待があったということだ。

当選した若い議員のひとりが話をしてくれた。

「これは行政の役割、これは民間の役割などと分けるのはおかしい。問題は、どうすればこの湯布院という町が良くなるのかということだ。今、この町で生活していく人にとって何が一番大切かを考えていく必要があるのだ」

2. 由布院の若者たちの想い

木を植えるということ

由布院には後継者が育っていない。中谷、溝口があまりにも突出したリーダーであるがために、由布院のまちづくりを担う次の人が出にくい。そのような中でも、「亀の井別荘」の中谷太郎、「玉の湯」の桑野和泉の名前が、後継者としてよく挙げられる。太郎は中谷健太郎の長男、桑野は溝口薫平の長女だ。ふたりともに由布院のまちづくりに深くかかわってきている。しかし、そう言われると、ふたりは困惑した顔を見せる。

「私たちがまちづくりの後継者？　とんでもない。由布院には、まちづくりにがんばっている若い人たちが沢山いますよ」

中谷太郎と桑野は言う。

「がんばっている若者たちが由布院にそんなにいるのか？」

ふたりの話に疑問を抱いた人の問いに、太郎はこう答えたことがある。

「細胞分裂のようにどんどん出てきていますよ。消えるやつもいるけれど、元気のいいやつがどんどん増殖していますよ」

最近、由布院へ行くと、イベントや勉強会などでは、リーダーシップをとっている若者たちの姿がやけに目につく。

しかし、中谷太郎や桑野のやっていることや言っていることは、ある意味では、由布院の若者たちの行動や考えを代表しているといってもいいだろう。

中谷太郎も、一度、由布院を飛び出して東京へ出て行っている。由布院へ戻ったのは、平成六年の町長選挙がきっかけだ。新人が現職に対抗して立候補した。父である中谷たちは新人を推していた。

「戻ってきて選挙を手伝ってくれないか」

中谷健太郎は太郎へ電話をした。最初のうち、太郎は断っていた。一週間だけでもいいから、戻ってきて欲しい。中谷の押しに太郎は負けた。

太郎は一週間だけと思っていた。由布院の若者たちと、雪の降る中を、選挙運動に頑張った。

「いつか由布院へ戻ってくるのだろう。それならば、今が一番いい」

中谷の言葉で太郎は由布院へ戻ることになった。これは、由布院に限らず、田舎では仲間の存在を意識したときに、人は力まずにすんなりと故郷へ戻れるのかもしれない。

「観光業というか宿屋を家業にしていると、親子で一緒に行動することがありますよね。そのような時『家業』とはいいものだと思いますよね」

最近、中谷太郎が言っていることだ。

由布院では、旅館に限らず、いろいろな業種において家族でやっているということが目につく。由布院の業態の規模が小さいがために家族単位でやるには適当なのかもしれない。そのアットホームな雰囲気が、また由布院らしさを醸し出すのかもしれない。

アットホームといえば、中谷太郎が言っている。

「由布院は小さな盆地で、すり鉢のような地形です。由布院の町じゅうが温泉で、町全体が露天風呂といってもいいのです。だから、由布院に滞在中、お客様は温泉に入っている気持ちになって、ゆっくりとくつろいで元気になって欲しいですよね」

由布院盆地をいい得て妙といってもいいだろう。

アットホームな雰囲気というと、桑野は由布院について言っている。

「由布院をただ歩けるまちではなく、歩きたくなるまちにしたいですよね。町の人たちとすれ違うときは『こんにちは』と挨拶をする。『今朝はいい天気で気持ちがいいですよね』とか、ちょっとした会話ができるまち、それが来る人にとっても魅力があるのではないかと思います。そうですよね、まち全体でお迎えすることができればと思っています」

まち全体で観光客を迎える。観光客をお迎えする宿ではなくて、観光客をお迎えする由布院ということである。

桑野が由布院の理想像を語ってくれたことがある。話を簡単にまとめると次のようだ。「新婚旅行で由布院を初めて訪れたお客が、次は赤ちゃんを抱いて来られる。子供の成長する期間は忙しくて来られなくても、子供が親の手から離れた頃に、両親を招待して一緒に来てくれる。会社を定年で辞められ暇になると、夫婦で来てゆっくり滞在してくれる。そのように、生涯にわたり由布院とおつきあいして戴けたらと思いますね」

そのような由布院のまちづくりに、桑野はコトコトとシチューを煮込むようにじっくりと時間をかけ、愛情をかけてつきあっていきたいと言う。

別府や安心院《あじむ》など由布院近隣地域の集まりやイベントなどでも、最近、中谷太郎、桑野をはじめとする由布院の若者たちの姿がよく見かけられる。

これからは由布院だけで観光客を呼ぶ時代ではなくなる。多種多様な観光のスタイルが求められている。そのためには、スケールの大きな国際温泉都市「別府」、グリーンツーリズムの「安心院」、小さな健康保養温泉地「由布院」、お隣さん同士、それぞれの地域特性を生かして仲良くやっていこうということだ。

県外資本が由布院へ入ってきて、危機感を特に抱いているのが由布院の若者たちだ。私はそう思っていた。若者たちは危機感を確かに持っている。持っているが、それらに対処する考えが、私の思っていたことと少し違っていた。

県外資本だけが問題ではない。交通の渋滞、河川の汚れの問題、景観の乱れなど、由布院は多くの問題を抱えている。由布院にとって「変えていかなくてはならないもの」「変えてはいけないもの」……由布院の若者たちは、今一度、みんなで考えていきたいと言う。

最近、由布院の若者たちが、由布院盆地の中を流れる川の堤防沿いに、十本のサクラの木を植えた。

由布院温泉旅館組合の青年部は、平成十二年に、「ゆふいんかぐや姫募金」を立ち上げた。町内の旅館やホテルのフロントのカウンターに箱を置いて、「募金」をお願いしている。募った基金で、町内に木を植えたり花の種などを蒔《ま》いたりしている。

由布院に住んでいる人に、由布院を訪れる人に、「由布院らしい景観のゆたかさ」を味わって欲しい。その素晴らしさを感じて、次にはその「景観づくり」に参加して欲しいということなのだ。

ただ「木を植える」という行為だけではない。「由布院らしさ」を知り、その良さを伝える人を育んでいこうという「人つなぎ」なのだ。

木を育てるといえば、前述した本多が講演した「由布院温泉発展策」の中で提言している。

「森林公園の中にまちがある。そのようなまちの中で生きてこそ、人は健康に生きていける。由布院の人たちは木を積極的に植えるべきだ」

一本の木は、はじめは幼いが、確実に成長して、未来を美しく彩り飾ってくれる。由布院の若者たちは本多の提言を実践しようと、まずは十本のサクラの木を植えた。彼らは、今後とも、木を植え続けていくだろう。それは、ささやかな行為かもしれない。

溝口は言っている。

「まちづくりとは、そのようなささやかなことの積み重ねなのです」

行政主導のまちづくりでは、早くに結果を求めるがために、三年や五年という単位でものごとを考えていく。首長選挙や人事異動ということもあるのだろう。それでは駄目だ。

まちづくりにおいては、早くに結果を求めてはいけない。永遠とはいわないまでも、少なくとも百年先を見据えることが肝要だ。それを、由布院の人たちは熟知している。ゆっくりと確かなことをやっていきましょうよ、ということなのだ。

中谷と溝口が話していたことを、私は思い出す。

中谷が言った。

「人の心や体が癒されて、のんびりと過ごすことができる。そういう空間をつくるんだということで、由布院は、八十年間、がんばってきました。それは、由布院が田舎というか生活観光地である限り、これからも変わらないと思うよね」

それを受けて、溝口が言った。

「由布院は田舎です。田舎というものは不器用なのです。効率良く生きていくことができないのです。でも、効率的でない〝のんびり〟〝ゆっくり〟という別の価値観が求められる時代になったのです。そして、由布院は、これからもその田舎らしい不器用さで『由布院らしい』小さなことを守り育んでいくしかないと思うよね」

由布岳とともに

中谷に尋ねたことがある。

「あの本多博士の『由布院温泉発展策』の講演を聞いた当時の由布院の人たちの想いはどのようなものだったのでしょうかね」

中谷は言った。

「それは、言葉ではいい表せないような感動だったと思うよ。私の祖父の中谷巳次郎もそのひとりだろうね。『この由布院を自然いっぱいの素晴らしい森林公園の村にするぞ』

などと叫んだことだろうね」

「おじいさんだけではないでしょうね」

「そりゃそうさ。当時の由布院には、もの凄い人たちが沢山いたからね。医者のイワオ先生、庄屋のタケトおじ、佛山寺の和尚、ハルさん、エトさん……」

　中谷の口からは次から次へと当時の人たちの名前があがる。

「そうだよな、ジイサマたちの頭の中には、ドイツの公園を下敷きにした『村の未来構想』が立ちあがっていたと思うよ。由布院全体を『森林公園』にして、日本全国から『保養』のお客様を呼ぼうと考えていたんだろうね」

　それでどうなったのだろう。中谷はひとこと言った。

「戦争で潰れた。村づくりどころではなくなったのだ」

　それでは、終戦後の由布院はどのような状況だったのだろう。

　由布院盆地をダムにしようという話が持ち上がっていたのだ。

　現在の南由布駅よりもさらに下流の川西橋付近に、ダムを造ろうとするものであった。

由布院盆地のすべてが水の下に没して、八山塚という小さな山が島となって残る。島へは鉄橋を架け、頂上に新しい由布院駅を建設する。歩道橋も島に架けて、観光客は島から人造湖の眺望を楽しむことができるようにする。湖面には、遊覧船を浮かべて、湖の周辺に移転した各地区との往来ができるようにするというものである。

戦後の電力不足に対応する電源開発のダム建造とともに、由布院を湖を中心とした観光リゾート地化しようとするものであった。

由布院盆地というところは、大雨が降ると河川はすぐに氾濫した。土地はやせ細り湿地帯で、農業には適さなかった。それになにより、敗戦で、由布院の人たちは心身ともに疲弊していたであろう。そこへダム建設計画の話だ。

膨大な補償金を貰える。別府にも劣らない湖を中心とした観光地になる。夢のような話である。由布院の人たちの心は揺り動かされたに違いない。

町の中は、賛成派、反対派と分かれ意見が対立したらしい。そのような中、町の青年団や農業団体が反対の意思を明確にし、ダム建設中止運動を積極的に展開した。

「我が故郷を水の底へ沈めるな！」

当時の若者たちは叫び始めた。
結局、資金繰りなどの関係で、由布院ダム建設計画は中断ということになった。ダムの反対運動は、故郷である由布院の将来のあり方を、若者たちに考えさせる機会ともなった。それは、今の、まちづくりにつながっているといってもいいだろう。

戦争がなくて、「由布院温泉発展策」に基づいてまちづくりを進められていたら、由布院はどうなっていただろうか。

「由布院ダム」ができて、由布院盆地全体が湖となっていたら、由布院はどうなっていただろうか。

それらを考える必要はないだろう。「もし」とか「たら」とかは、まちづくりにはないのである。ただ、「由布院温泉発展策」を聞いて村の未来へ想いを馳せた人たち、故郷を水底に沈めるなと反対した若者たち、彼らと同様に、今の由布院の人たちも「私の故郷は由布院です」と誇れるまちづくりを進めてきたことは確かである。

由布院は、我が国を代表する観光地になった。由布院スタイルというひとつの観光のあり方を示してきた。しかし、様々な多くの問題を抱えていることは確かだ。これからの由布院はどうなっていくのだろうか。

由布院に住んでいる人たちは、朝に夕に、由布岳を見ながら生きている。

由布院を訪れる人も、まず見るのが由布岳なのだ。

由布院の駅前の景観を考えたとき、由布院の人たちはまず由布岳を頭に浮かべた。「潤いのある町づくり条例」をつくる時にも、由布岳がどこからでも見えるように建物の高さを規制した。

由布岳は、大昔から、由布院の人たちの心の中にいつもあったに違いない。

由布院へ行くとその由布岳を知らず知らずのうちにぼんやりと眺めることがある。そのような時、由布院の人たちのつぶやきがどこからともなく聞こえてくるような気がする。

「まちづくりというものは、少なくとも百年はかかりますよね。だから、まあ、慌てずにぼちぼちやっていきますよ」

冬の終わりの晴れた日、由布岳の麓の草原に火がつけられる。
「野焼き」である。
黒煙とともに炎が高く燃え上がる。
由布院の人たちが春の訪れを感じる瞬間である。
由布岳の山腹一面にキスミレやハルリンドウの可憐な草花が芽を出す。
牛たちがさわやかな風に吹かれながらのんびりと過ごしている。
由布院の人たちは農作業の支度を始める。

田植えの頃、盆地のすべての田圃に水が張られる。
由布岳の山頂から眺めると盆地全体が輝いて見える。
やがて苗が植えられる。生産の光景だ。
辻馬車の音が盆地内に響き始める。

梅雨、盆地では雨の降る日が多くなる。
アジサイの花が鮮やかに輝き
つかの間の晴れた夜、蛍たちが可憐に舞う。

盆地の空を入道雲が覆うようになる。
暑い日が続く。その暑さが農作物を育てる。
由布院の人たちがイベントを愉しむ季節でもある。
音楽祭、盆地祭、映画祭など……由布院の夏が過ぎていく。

秋、稲刈りの終わった田圃には
藁こづみがぽつねんと佇んでいる。
盆地の秋の夜は早い。
夕陽が沈み、由布岳が茜色に染まる。
すぐに暗くなる。家々のあかりが灯る。

東の空には、月が突然に昇ってぽっかりと浮かぶ。
盆地の静かな夜だ。

晩秋の早朝、盆地には霧が深く漂う。
深ければ深いほど日中は穏やかな一日となる。
「冬支度」をするには格好の一日となる。

由布岳の山頂付近が白い霧氷で飾られる頃、冬となる。
盆地はしんしんと冷える。温泉のありがたさを知る。
透きとおった温泉に浸かり、由布岳を見ながら
また来る春へ想いを馳せてしまう。

由布院の一年はいつも由布岳とともにある。
由布岳の麓の小さな町、それが由布院なのだ。

あとがき

私と由布院の方たちとのお付き合いが始まって十数年になります。そのお付き合いの中で知り得たことやいただいた資料などをまとめてみたのが本書です。不明な個所が出てきた時には、由布院の方々に直接だがそれとなく尋ねるという格式張らない取材をしてきました。ただ、こういう本を書いているという断りの上ではないことが多かったのです。また、私のひとり合点の意見を述べてしまっている個所もあるかもしれません。

中谷健太郎さん、溝口薫平さん、小野タツ子さん、時松辰夫さん、新江憲一さん、米田誠司さん、藤林晃司さん、伊藤雄さん、横田茂美さん、加藤昌邦さん、桑野和泉さん、中谷太郎さんをはじめとする湯布院町内外の方たちには、敬称を省略させていただいた失礼とともにお詫びします。

また、溝口薫平さんには見事な写真を提供していただき深く感謝をいたします。

平成十六年十一月

木谷文弘

参考文献

・『花水樹』〈完全復刻版〉（グリーンツーリズム研究所）一九九五年
・『町誌・湯布院』〈本編〉〈別巻〉（湯布院町誌刊行期成会）一九八九年
・『一村一品運動20年の記録』（大分県一村一品21推進協議会）二〇〇一年
・『たすきがけの湯布院』中谷健太郎著（アドバンス大分）一九八三年
・『湯布院幻燈譜』中谷健太郎著（海鳥社）一九九五年
・『湯布院発、にっぽん村へ』中谷健太郎著（ふきのとう書房）二〇〇一年
・『ゆふいん観光新聞』（由布院観光総合事務所）
・『風の計画〜ふくろうが翔ぶ』（ふくろうの会）
・『大分県速見郡・由布院温泉発展策』本多博士講演記録　一九二四年
・本多静六通信（本多静六博士を記念する会）一九九二年〜二〇〇四年
・『湯布院映画祭・20年の記録』横田茂美著　一九九五年
・『薫平さんと健太郎さんから教わったこと』木谷文弘著　二〇〇一年
・『もうひとつの湯布院温泉発展策』木谷文弘著
・その他、中谷健太郎、溝口薫平の講演記録、対談記録など

木谷文弘　1947(昭和22)年、岡山県生まれ、大分市在住。愛媛大学卒業後、大分県庁に勤務。土木技師として道路建設や都市計画に携わった後、55歳で退職。2009年没。

Ⓢ新潮新書

094

由布院《ゆふいん》の小《ち》さな奇跡《きせき》

著　者　木谷文弘《きたにふみひろ》

2004年11月20日　発行
2013年4月10日　4刷

発行者　佐　藤　隆　信
発行所　株式会社新潮社
〒162-8711　東京都新宿区矢来町71番地
編集部(03)3266-5430　読者係(03)3266-5111
http://www.shinchosha.co.jp

印刷所　大日本印刷株式会社
製本所　加藤製本株式会社
© Hirokuni Kitani 2004, Printed in Japan

乱丁・落丁本は、ご面倒ですが
小社読者係宛お送りください。
送料小社負担にてお取替えいたします。

ISBN978-4-10-610094-9　C0225

価格はカバーに表示してあります。